鈴木いづみプレミアム・コレクション

文遊社

目次

小説

エッセイ

写真　荒木経惟
装幀　佐々木暁

鈴木いづみプレミアム・コレクション

小説

女と女の世の中

けさ、家のまえを男の子がとおった。

それを姉にはなすと、アサコは「バーカ」といった。「このへんに、いるわけがないでしょう」

それもそうだ。

むかし、地球には、女しかいなかった。平和にくらしていたが、あるひとりの女がいままでとはちがう子供をうんだ。からだつきも奇型だったが、やることなすこと乱暴で、ずさんで、さんざんみんなに迷惑をかけて、子孫をのこして死んでしまった。それが、男族のはじまりだ。

男たちの数は、その後ますますふえつづけた。戦争や、それにつかう道具を発明したのは、おそらく彼らである。もっといけないことは、さまざまな観念をもてあそび、それに熱中して生きることを、彼らはしはじめたのである。革命だとか仕事だとか芸術だとか。そういう形のないものにムダなエネルギーをそそぎこむ。そして彼らはそれこそが男のもっともすばらしい特質だとさえいったのだ。冒険だのロマンだのと、日常生活にはまったく役にたたないことに情熱をもやすことが。男たちというのはおとなであるのに子供で、複雑であるかとおもえば単純で、まったく手におえない生物だった。

女たちにも「愛」というものがあったけれど、それは観念じゃなくて、赤ん坊の泣き声をがまんして、ねむくてもオムツをとりかえてやることだった。たべものをみつけたら、自分が保護している、よわくてちいさい生き物にわけてやることだった。ただし、他人にはやらない。そんなことをしたら、自分や自分の血族が、生きていけなくなるからだ。

男たちの数がふえると、女たちは彼らのひとりひとりにくっついて、監視しなければならなくなった。それは苦労が多い仕事だった。だが、たいていの女たちには、その才能があったらしい。女たちは、家庭をまもった。

ながいながい年月ののち、男たちは暴力と知能で社会の支配者となり、戦争ばかりやっていた。彼らは、大きい戦争やちいさい戦争に、生きがいをみいだしていたのだろうか。戦争は日常生活にまではいりこみ、交通戦争とか受験戦争がうまれた。それらのものがせっぱつまってくると、もはや戦争ということばはつかえない。もちろん事態がわるくなったのは、男たちの責任である。そして、交通事故や受験競争が、目をおおわんばかりの状態になってくると、それらは地獄ということばにかわっていった。交通地獄、受験地獄などということになったらしい。

工場は生産をつづけ、時代は進歩と調和のよろこびのうたを、うたっていたはずである。だが、二十世紀後半から、ふしぎなことに、男の子がうまれる数がすくなくなってきた。公害というもののせいらしい。蒸気機関を発明した男たちは、それによって自らがほろぼされるとは、おもっていなかっただろう。

とにかく、男たちはすくなくなった。どうしてそんなことができたかわからないが、ひとりの女はひとりの男を愛するという習性ができあがっていたので、女たちはひどくかなしんだ。それでも男の数は減少していった。

いまでは、特殊居住区へいかないと、お目にかかれない。

「あんた、目の錯覚じゃあないの?」

アサコは紅茶をいれた。いわれてみると、自信がなくなってしまう。

「そうかなあ。でも、あとで本をしらべたら、二十世紀後半の男子の服装っていうのに、似たのがあったよ。髪はみじかくて、パンタロンはいてるの」

「わたしだって、そうじゃない」

アサコは、髪をごくみじかく刈りこんで、サマーニットを着こんでいる。

「うん、まあ、そうだけど、パンタロンのすそがそんなにひろがってないで、脚にぴったりくっついてるの。それから、胸がぺちゃんこでね」

「そういう女のひと、いるわよ」

「全体の感じがちがってた。骨太でね、背がたかくて、きびきびしてた。なんか、迫力あったわよ」

「へぇえ……あんた、うまれてはじめてみたっていうくせに、よく断定できるわね。わたしなんか、学校卒業する年に、居住区を見学にいったけど、男ってあんなものとはおもわなかったわよ。ごつごつしてて、いやなにおいがして、みーんな無気味なのよ。とじこめられてるせいかもしれないけど、なまけものって印象でさ。あんたも、みにいったら、わかるわよ。いやなもんよ。ところで、本しらべたって、そんな本、どこにあったの?」

男性に関する資料は、発行することが禁じられているのだ。

「友だちのうち」

「また、どうして?」

「そのひとのおかあさん、情報局につとめてるらしい。彼女もよくは知らないのよ。書斎のカギをへアピンであけて、すきな本よんでいいっていうの」

「あきれた不良ね」

「フィルムもずいぶんあったけど」

「バレたら、たいへんなことになるわよ。ユーコ、おまえはよくわからないだろうけど、そういうことは社会のルールを乱すことになるんだからね。よくおぼえときなさい。いちばん大切なのは、秩序よ。きめられたことをまもることよ。みんながそうやってれば、人類はほろびないわ」

姉らしく、やさしくいってきかせる。わたしは、紅茶にミルクをいれた。

「人類って、女のこと?」

「あたりまえよ。先生は、そうおっしゃらなかった?」

「いったわ」

「じゃあ、そうなのよ」

「男は?」

「あれも、人類の一変種だけど、しょせん異端者で、奇型なのよ」

「でも、さかえた時代があったのでしょう?」

学校では、そこのところを、くわしくおしえてくれない。そういうワルいことは、友人のないしょばなしでおぼえるのだ。二、三年まえ「男たちの研究」というパンフレットが、秘密出版された。わたしも、友人にみせてもらった。やがてそれは警察の手入れをくらい、押収された。犯人たちはすぐにつかまり、収容所にいれられた。

「好奇心を刺激するおそろしい出版物」と壁新聞は報じた。

むかし、おばあさんの時代には新聞は毎朝一軒一軒に配達され、交通網は縦横にはりめぐらされていたそうだ。いまでも、高速道路あとにいくと、コンクリートの太い柱が、何本もたっている。いつ倒れるかわからない危険があるので、あまりそばにはいかない。資源がすくなくなり、工場が生産を減少させたころ、男たちの数もすくなくなった。そういうおそろしい文化をつくったのは、男たちだ、と先生がおしえた。石油は、すんでのところでつかいつくされるところだった。埋蔵量は、ごくわずかなのだ。したがって現在のエネルギー源は、そのほとんどを太陽熱にたよっている。男たちが荒らした地球を、女たちはほそぼそとまもっていくしかないのだ。

そのころはテレビというものが、どこの家にもあったそうだ。わたしには想像できない。つまみをひっぱれば、朝から真夜中まで、さまざまな番組をやっていたということが。それが全部ただでみられるなんて。NHKというところは、料金をあつめていたらしいが、末期になるとだれもはらわなくなった。それは女たちの大きな娯楽だった。おばあさんなんか、子供のころは毎日テレビをみていたという。受験地獄に男も女も加わっていた時代だが、おばあさんの母親はそういうことには、うるさくなかった。おばあさんは、歌手になりたかったのだ、とはなしてくれた。そのころの歌手というものは、しょっちゅうテレビにでていたそうだ。テレビはたいていのひとがみるから、有名になる。有名になればコンサートやリサイタルにお客がゴマンとくるらしい。わたしには、ほとんどのひとが、テレビをみるということが、まず信じられない。テレビ局がつぶれ、男たちのすがたがなくなっていくのはとてもさびしいことだった、といったこともある。

「くだらないことをいってないで、はやく寝なさい……八時だから、電力ストップの時間よ」

ねえさんがそういったとたん、さしてあかるくない電球が、スーッとくらくなった。テーブルのうえに、月のひかりがしまもようをえがいた。

「みてごらん、なんだか赤くて大きい月だね。あんなとこにいる」

アサコが指さした。わたしたちは、紅茶ののこりをのみ、月をながめた。月はひくいところにあった。ぶよぶよふやけそうな、気味のわるい色をしていた。

「おかあさん、いまごろ、なにをしてるかな」

わたしは、いってはいけないことをいったようだ。だが、姉はとがめなかった。

「来月もまたあえるじゃない」

むしろなぐさめるように、そういう。

「……うん」

だが、月に一回の面会は、わずか十分くらいで、おわりになる。そばに監視員がいるので、おもったことをそのまましゃべるわけにはいかない。このごろ、帰りぎわに、母はよく涙ぐむのだ。

「どうして収容所にいれられたの?」

「法律違反をしたのでしょう」

姉は、あたりまえの答えをした。そのじつ、彼女も事情はよくわからないのだ。母はある日突然、見知らぬ人びとにつれていかれた。姉は四つか五つだったので、よくおぼえている。

「おばあさんがいうには、危険人物を下宿させていたんだって」

姉はたよりない口調になった。

「その人間は？」

「もちろん、つかまったわよ。それで、べつのところへ送られたんでしょ。でも、わたしたちは面会できるだけ、いいわよ。つれてったのは、おそらく秘密警察だとおもうわ」

「そんなもの、あるの？」

「おそらくね……これはわたしの推測だし、だれにもいっちゃいけないよ」

「わかってるよ」

「それと情報局と関係あるんじゃないかなあ、とおもってるの。もちろん、これもないしょよ」

「わかってるよ」

「母親は死んだってことになってるんだからね。これが世間にバレたら、秩序をみだすことになるのよ」

「ＯＫ」

姉は神経質すぎるんじゃないか、とおもう。おさないころ、母親をつれていかれたせいだろうか。

「職場にも、いられなくなるんだからね」

アサコは、いやにしつこく念をおす。わたしは、ローソクに火をともした。くさい安物だが、あかりにはケチしないことにしている。よその家では、動物のあぶらに燈芯をひたしたものをつかっていることが多い。においがひどくてけむりがでる。

「わたし、もう寝るわ。食器はあしたかたづける」

立ちあがると、姉は「いいわよ、洗っとくから」といった。「階段、暗くない？　ローソク、もっていきなさい」

「なれてるから」

階段のしたにも、月のひかりがながれこんでいる。けさはやくおきたので、ねむくなってきた。あれは、朝の四時ごろ、あつくるしくて目がさめたのだ。ちいさい窓がしまっていたので、あけはなした。そのとき、下の道を、男の子がとおった。そんな時間に外にいる人間なんていないから、じっくりみていた。

二階にあがると、わたしは月のひかりのなかで、日記帳をひろげた。これは十六歳の誕生日におばあさんからいただいた。二年もつかっている。

けさのことをかきこもうとおもったが、姉のことばで確信がもてなくなった。わたしはとても目がいいのだが、月光のしたで毎日字をかいているので、そのうち悪くなるだろう。男の子のことは、だれにもいわないことにしよう。だから、日記帳にも、かきこまない。月日をかきこみ、ちょっとかんがえた。

(先生が、劇場へつれていってくれました。昼間から電気がついていて、あかるいので、びっくりしました。わたしは、にぎやかなところははじめてなので、いろいろめずらしかった。マキが「劇場には、ときどき男性が出演するんだって。ボクシングなんていうのをやるんだって」といいました。するとレイが「それはこういうとこじゃないのよ。体育館みたいなとこよ」といいました。先生がきたので、わたしたちはだまって、なかへはいりました。なかの照明も、あかるくてきれいでした。かえりは、辻馬車にのりました)

姉は、辻馬車もそろそろなくなるだろう、といっていた。そういえば、数がすくなくなっている。もっとも、辻馬車にしても、それよりは多い無公害自動車にしても、利用するということ自体、ぜいたくなのだ。たいていのひとは、一時間くらいの距離なら、あるいていく。わたしは辻馬車にのったということがうれしくてたまらないので、日記に書いたのだ。アサコは、エネルギーを研究するところにつとめている。ウランやプルトニウムは、徐々に実用化されている、というはなしだ。太陽エネルギーの研究も、ますますさかんになっている。「だって、太陽なんて水爆のかたまりみたいなものよ」と彼女は、ぶっそうなことをいっていた。

窓をあけて、下の道をながめたが、もちろんだれもいない。

けさのことは、やはりみまちがいだったのだろうか。

わたしはベッドにはいった。

窓の外で、ケヤキがざわざわいっている。

階段のきしむ音がきこえた。

「もう、ねた?」

ドアの外から、姉が声をかけてきた。

「ううむ……」

わたしのあいまいな返事は、うなり声みたいになった。

「いい? さっきしゃべったことは、だれにもいわないのよ」

アサコは、ことさら声をひくくする。

「うん、わかった」

わたしは、ねむそうな声をだした。

「男の子みた、なんて、いっちゃいけないよ」

まったくしつこい。

「だいじょうぶだよ」

アサコは、階段のうえに、ローソクをもって立っているのだろう。しばらく、沈黙している。なにか、かんがえこんでいるのだろうか。しかし、デモンストレーションみたいにも受けとれる。

「……そう。じゃあ、おやすみなさい」

姉はようやく自分の部屋へはいっていった。

「おやすみ」

わたしはぶっきらぼうにつぶやき（その声は、姉にはきこえなかったらしいが）毛布とその下のシーツを、胸のところまでひきあげた。いつも寝るまえは、二時間や三時間は、おきている。だが、今晩は、はやくねむりそうだ……。


目ざめても、暗かった。

何時ごろかわからない。時計は居間においてある。みにいくのは、めんどうなので、そのままベッドにはいっていた。

夢の断片をつなぎあわせようとしたが、うまくいかない。それに、またねむろう、なんておもえないほど、さわやかな寝ざめだった。ねむけは、どこにものこっていない。

おきあがると、暗いなかで、服をきがえた。

机のひきだしをあけて、姉の部屋からだまっていただいてきたタバコをだした。においで感づかれるかもしれない。しかし、姉は自分もタバコをすってるから、わからないだろう。おばあさんは、めったにやってこないし。

火をつけてすいこむと、数秒もしないうちに、全身の血がひいていく感じがする。頭のなかから空気がぬけるような。つぎにくらくらしてきたので、いすに腰かけた。指先もつめたくなったような気がする。

そうやっていると、昼間劇場できいた音楽が、よみがえってきた。新作ミュージカルは恋愛もので、ヒロインの役名はサッフォーだかサフォーだかで、ひどくもてるのだった。生徒たちの大半は、すてきだといって、熱をあげた。わたしも同感だったが、くやしいのでだまっていた。そろそろ恋人ができる年齢なのに、匿名のラヴ・レターしかこないからだ。

幕間には、ロビーでお菓子を買って、たべていた。ステディーのふたりぐみが、あちこちにいる。先生がいるから、さすがにネッキングなんてしないけど、腹だたしいことにかわりはない。

マキもレイも恋人がいないので、寄ってきていっしょにビスケットをたべた。ブスの三人組という感じだったろう。

「あの主役すてきねえ。ああいうひとといっしょにくらしたいわ」

レイの目のまわりは、うすももいろになっていた。なにを昂奮してるのさ、とわたしはおもった。

「くらしてどうするの?」

マキがたずねる。

「毎日、お弁当つくってあげるの」

「ふん、ばかばかしい。ああいうのに熱をあげたって、ろくなことないよ。きっと浮気だから。ほうぼうに、ネコがいるから」

その種のはすっぱな陰語をつかうのは、仲間うちだけである。マキはタチだという、うわさがある。まるっきりもてないのだけど。マキのラヴ・レター作製につきあったことがあるが、書きつらねてある文章がひどく露骨なので、なおさせたことがある。しかし、マキが実際にだしたのは、はじめ自分ひとりでかんがえたほうで、そのせいかどうかまたもや失恋した。相手の下級生は、ヤクザな年上の女とかけおちしてしまったのだ。

マキは「不良になってやる」と決意したが、タバコをすいはじめたほかは以前とかわらず(ときおり、わたしにも五、六本くれるからアリガタイ)やっぱり、まるでもてない。

タバコというのは高級品で、めったなところでは売っていない。やたらにいがらっぽい味がして、包装もきたならしいのに、お米二キロの値段では買えないのだ。

「俳優なんて、ダメよ。ああいうのは、敵だ」

マキはいきまいていた。

もうすぐ卒業なので、最近はみんな荒れている。学校は九月でおしまいになる。

このあいだは、映画研究クラブの生徒たちが、秘密上映会にいったというので、問題になった。そのことは新聞にものったので、結局全員退学になった。

彼らは刑法改正以前の旧作を鑑賞したのだ。『アメリカン・グラフィティー』とかいうタイトルで、あまりにもたくさん男性がでてくるし、しかもその描きかたがこのましくないということだ。世界がこんなふうになる以前は、じつにひどい世の中だったのだが、それを魅力的に演出しているから、よくないのだそうだ。文化センターからフィルムをもちだしたのは、もちろん生徒たちではない。映画に男性がでることはあるけれど、それはみんな成人指定になっている。ただ顔がうつるだけでも、十八歳以下がみてはいけない。

ゆっくりと貴重品であるタバコをすいおわると、窓の外は夜明けにむかって、うごきだしたようだ。わたしは窓ぎわにいすをもってきて、外をながめた。

錯覚でなかったとしたら、きょうもここを通る可能性がある。ひじをついて待ったが、なかなかやってこない。あの男の子は、みられたことを知っているだろうか。居住区から脱走してきたのかもしれない。だったら、警告しておく必要があるのではないだろうか。目撃者が、わたしだからいいようなものの、ほかの人間だったら、警察に通報するにちがいない。

わたしは、窓の外の気配に神経をはったまま、机にもどった。

「あなたは、なんていう名前？　どうしてこんなとこにいるの？　だれにもいわないから（ほんとうよ）おしえてください。友だちになりたい」

ノートをやぶった紙片にそう書くと、ほそながく折りたたんだ。陶器のうさぎの首にまきつけ、そのうえから、リボンをかけてむすんだ。このリボンは、先週の日曜、姉といっしょに盛り場へいって買ってきたものだ。濃紺でラメがはいっている。いちども頭にむすんだことがなくてちょっともったいないけど、まあいいや。

窓べにもどると、うさぎの人形をもって待ちつづけた。彼が字をよめなかったら、どうしよう。姉のはなしのぐあいから察するに、特殊居住区《ゲットー》には、学校なんてないはずだから。

やがて、木かげからきのうとおなじ人物があらわれた。べつに急いでいるわけでもないようだが、なんとなく音がしないようなあるきかたをするので、そんなふうに感じられるのかもしれない。

わたしは、その足もとに、うさぎの人形をおとした。彼は顔をあげた。安心させるためににっこりわらい、ついでに手近にあったうすで木綿のハンカチもおとした。

それは自分でカットワークして、三日がかりでつくったものだ。姉は手芸がきらいなので、おばあさんにおそわった。

男の子みたいなその人物は、はじめおどろいたようだったが、わたしの笑顔をうたがわしげにみつめた。彼がおくびょうではないらしいことが、わたしをよろこばせた。

彼はうさぎの人形をひろって、問いかけるような表情になった。わたしはうなずき、おびえさせないために、窓をはなれた。もっとも、すこしもおびえてなんかいないみたいだったが。

ベッドのうえに横になり、頭のしたで腕をくんだ。べつに何事もかんがえたわけではなく、しばらくぼんやりしていた。そのあいだに、窓の下をとおりかかった人物は確実にひとつの印象として、定着した。

わたしは、下へおりていった。たべるものをさがしたが、戸だなのなかには、パンと罐づめぐらいしかなかった。冷蔵庫などというシロモノは、一般の家庭にはない。おばあさんの時代には、どこへいってもあるのがふつうだったそうだが。

いったい、世界は退歩したのだろうか。それをいうと、姉がおこるのだ。「進歩という概念で世界をながめると、河や海が汚染される」といって。べつにそんなつもりじゃないけれど。「時間はながれて、地球はいくつもの歴史をもって、おとろえていく。それだけだ」ともいっていたけれど。

いまでは、ロンドンへいこうが、ニューヨークへいこうが、このありさまなのだそうだ。もっとも、外国へいくのは非常にむずかしい。外国へいってくれば、その地方の名士になれるくらいだ。職場や学校やその他の公共施設にだけ配布される新聞にはのるし、ラジオにもでられる。ラジオは、局がふたつしかなく、放送時間も朝の七時から十時、夕方五時から八時までとなっている。外国へいくのはわたしの夢だが、おそらく一生かなえられないだろう。

わたしは食卓にひじをついて、木の根っ子みたいな味のするパンを一口かじった。おいしいものたべたいなとおもう。だけど、わが家は姉の収入だけでやっているのだ。犯罪者をだした家庭ということで、公共的援助はいっさい受けられない。おばあさんは内職をやっているが、それもたいしたカネにはならない。職場や学校の給食が無料だから、やっていけるのだ。わたしはあきらめて、パンにマーガリンをぬりつけた。時計をみると、五時十七分をさしている。例の人物が窓の下をとおりかかったのは、四時すぎくらいだろう。

パンをもったまま、サンダルをひっかけて、外にでてみた。自分の部屋の窓の下を点検する。陶器のうさぎとハンカチは、なくなっていた。もってかえってくれたのだ。そのままだったら、どんなにがっかりしたことだろう。

わたしは、立ったままパンをたべた。あたりはすっかり明るくなっていた。

「ユーコ、カバンなんかさげて、なに寝ぼけてんのさ。きょうは授業なんてないんだよ」

マキがいう。

「最近、ちょっとへんよ。だれかとつきあってるんじゃない?」

レイは鉛筆をかじっている。

「ううん、まあ……そうともいえる」

わたしは、あいまいに返事をした。あれから二週間ばかりたつ。わたしはすっかり早起きになって、明け方にはいつも窓から外を見張るようになった。彼は三日に一度くらいのわりで、そこを通る。まだ話したことはない。おたがいに、手をふって合図するだけだ。

「相手はだれ？」

マキが眉をあげた。

「ひっひっ、ひみつ」

わたしは意味ありげな表情をつくった。わたしは内実がないときほど、大げさに宣伝してまわるくせがある。いかにも何事かあったようにいったので、ふたりは興味をなくしたようだ。

「レイったらさ、あの俳優に毎日手紙かいて、花を届けたんだって。アホウだな」

マキはべつの話題にうつった。

「それで？」

「返事がきたんだけど、どうしようかな、とおもうの」

レイはものうれわしげに、鉛筆をかみつづけた。

「会いたい会いたいって書いて、俳優の家まで毎朝いって、郵便受けにいれてたら、いちど朝帰りで顔をあわせちゃったんだと。そしたら『きみはかわいいね』とかなんとか、手をにぎったっていうけど……」

マキはレイをふりかえった。レイはおこったような表情になった。

「ほんとは、それ以上のこと、されたんだろう。なあ」

マキはレイの首の下をくすぐった。レイはびくっとして、その手をはねのけた。

「いちどお会いしたい、っていう返事なの？」

わたしは義務的にたずねた。あの俳優なんか、すこしもすてきだとはおもわない。早朝、窓の下をとおるナゾの人物が気にかかって以来のことだ。それまでは俳優だとかスターだとかに、熱をあげたこともあった。半年に一度ぐらい、なけなしの小遣いをためて劇場へいくのがたのしみだったのだ。

「それがね、うちのほうに返事がきたというわけよ。いっしょになりたいって」

レイはゆううつそうだ。しかし、そのじつうれしがっていることは確かである。

「同棲するってこと？」

つまらない話題だ。それでも調子をあわせる。

「役所に届け出るの。お式もあげるし、子供もほしいって」

「へえ、すごいじゃん」

ある年齢以上になって、子供がほしくなると、病院へいく。未婚でも、育てていける能力があればかまわない。おそらくなにかの薬物を注入するのだろう。

「就職はしないの？」

「わたしって、働くのに向いてないのよ」

レイはぬけぬけといった。

「今度のはなしがだめになっても、お見合いできめちゃうからいいわよ」

レイはかわいい顔と白い肌で、だれかに養ってもらうつもりだろう。むかしは、男が働いて、女は家庭の雑事をするのがふつうだった、というはなしだ。いまでもその形態は、消え去ってはいない。ただ、男っぽい女が外にでて、家事に向いているほうが、こまごまとしたことをやる、というだけだ。

始業ベルがなった。

「きょうは、なにがあるの?」

マキにたずねる。彼女は、さも不潔そうに、

「居住区見学だって。いやだね。わざわざみにいくなんてさ。でも、研究にもなるから、いこうかな」

女と女がいっしょに生活する。ふしぎなことに、片方はできうるかぎり、そのむかしの〈男っぽさ〉といわれるものを模倣しようとする。そういう意味で「研究」といったのだろう。少女たちの観念のなかの〈男っぽさ〉なんて、アテにならないのに。


バスがとまると、郊外の居住区のまえだった。

「古代ローマの闘技場みたいだな。外からみると」とマキがいう。

高い壁でかこまれたそこは、難攻不落のトリデのようでもあった。

「デイビー・クロケットがでてきそう」

「なに、それ?」

レイがねむたそうな目をしている。

「アラモの砦」

わたしがこたえると、興味なさそうに「ああ、以前の歴史ね」

「さあ、みんな、おりて。二列にならんで」

教師がわめいている。

生徒たちは、地下へのせまい階段を、おりていった。しのびわらいやないしょ話が、周囲の壁に反響する。

「どうして地下なの?」

「地上は、菜園になってるんだって」

警備室があった。ふたりの警備員が、武装してタバコをすっている。ひとりはグレイの制服がよく似合っていたが、もうひとりは胸が非常に大きいので、なんだかおかしかった。

教師は、窓口に見学許可証をさしだした。警備員は頭数をかぞえた。いちおう顔をみまわすのは、ゲリラがもぐりこんでいないか、用心するためらしい。それだったら、学校の生徒に見学させる、なんてやめにしたらいいのに。

しかし、この機会をのがすと、一般人は男性というしろものがどういうものか、まったく知らないで一生をおえるのだ。

警備員のひとりが、鉄のとびらの鍵をあけた。生徒たちは、昂奮してしゃべりながら、はいっていく。

「いまでも、男の子うまれることがあるの？」

「あるよ。無知だな」

マキがこたえた。

「どうして街ではみかけないの。ベビーカーのなかは、女の赤ん坊ばっかりじゃない」

「それは、男なんて、めったにうまれないからさ。遺伝子も公害の影響、うけたんだろ」

「それにしても、さ」

「それに、男の赤ん坊は、うまれるとすぐ、とりあげられちゃうんだよ。男の子がうまれると、世間には『死産だった』ってことにするらしい。そのほうが、みんなが幸福にくらせるからね。だけど闇から闇へほうむり去るって感じだな。まあ、男に生まれたってことは奇型とおんなじだから、あきらめていただくほかないけどさ」

マキはかなりくわしい。

ながい地下道の天井には、螢光燈がはめこまれている。おそらく、ここには自家発電装置がついているのだろう。病院や大きなホテルにはついているから。してみると、外からみたよりも、意外と大きな施設ということになる。

地下道の端には、また警備室があった。そこにはやはりふたりの警備員と、案内人らしい人物が、退屈そうにしていた。

ひとりの警備員は、本をよみながら頭をかきむしって、そのページのあいだにフケをおとしていた。ホルモン異常なのか、口のまわりにはうっすらヒゲがはえているが、胸もふくらんでいる。気味がわるい。病院へいって、男性ホルモンの注射でもしてもらったのだろうか。

このごろでは、頭を角刈りにして胸をさらしで巻きズボンをはいた女をみると、気持ちがわるくてしようがない。そういう感覚をもつようになったのは、陶器のうさぎをあげた男の子に会って以来である。彼には一種のさわやかさやすがすがしさがあった。ところが、そのむかしの〈男っぽさ〉をよく知りもしないで模倣した女をみると、なんだか暑苦しくて気持ちわるい。さいわいなことに、そういう人物はあまり数が多くはない。「あんなの、むかしの流行よ。いまじゃ、もっとクールなのよ。あたしたちはみんな同性なんだから、ことさら性の分業化をまねしたってダメよ」レイがそんなことといってたっけ。

そこにも、やはり鉄製のとびらがあった。警備員があけて、案内人が先に立った。

「じゃあ、まず台所からみせましょう」

内部はかなり広いみたいだ。もしかすると、あの壁で区切った地上より地下のほうが大きいのかもしれない。通路や室内のスペースをみればわかる。あるいは、地下は三階とか四階とかになっている可能性もある。

学校の生徒たちがみせられるのは、その一部分でしかないのだろう。

「ここは大きな病院のようなところです。男性として生まれてしまった、あわれな人たちのめんどうをみています」

案内人がそういった。

台所はがらんとしていて、だだっぴろい。大きなナベやしゃくしがならんでいる。

「いまは、昼食の時間なので、みんな出はらっているのです」

たいしておもしろい見ものはない。大きな船を見学しているようなものだ。ただ、豪華客船にくらべると、いかにもあわれなみすぼらしいうすよごれた感じがする。それは、この施設が古いせいだろうか。

「ここが、ねむるところです。こういう部屋がいくつかあります」

ベッドがずらっとならんでいる。ネズミのような顔をした男が、ひとつのベッドに寝ていた。

「おや、おまえ、きょうはどうしたの？」

案内人が声をかけた。生徒たちはざわめいた。感想や批評をすぐ口にする。

「腹のぐあいがわるいんです」

年齢がわからない（ということは、まるで若々しさのない）男は、みじめな声をだした。それから生徒たちを見ないようなふりをしながら、横目でちらちらながめる。

「もうひとり、足をねんざしたのは？」

案内人がたずねた。

「あれは、B――〇三七二です。松葉杖ついて、食堂へいきました」

彼らには、名前がないのだ！

それは、彼らが人間とはみなされていないからだ。というより、人間ではないからだ。しかし、犬や猫にだって、名前があるというのに……。しかも、女性たちは子孫をのこすために、男性の協力を必要としているのに。

そのへんのところは、はっきりわからないが、どうやら男性の分泌物のようなもののために、彼らをこういう施設で養っているらしい。それ以上は、よくわからない。

「ミツバチを飼っているようなものなの？」

わたしは、その道の権威であるマキにたずねた。

「さあ、それとはちょっとちがうねえ。しかし、われわれの社会の性的形態はそれと似ているのかもしれない。ただし、ハチの場合、女王バチは一匹だけだけどね」

「みんなが女王バチ」といって、レイがくすくすわらいはじめた。

「可能性があるというだけでしょ。病院へいけば、子供ができるから。ほしくないひとは、いかなきゃいい。人口問題は、これで片づいたんですって」

わたしも、とぼしい知識をひけらかした。

生徒たちは、そのネズミのような男に、なんの魅力も興味も感じなかったので、てんでにまたたわいないおしゃべりをはじめた。わたしはといえば、かなりのショックをうけた。

その感じは、見学をおえるまで、つづいた。なぜかというと、ここにいる男性たちは、あの夜明けの道をあるいてくる少年とは、まるっきりちがうからだ。同類とはおもえない。あるいてくる男の子とことばをかわしたことはないが、彼が女性ではないということには、確信がもてた。しかし、ここにいる男性に、あの男の子のもっている雰囲気をもとめても、そんなものはないのだった。

彼らはいちように無気力でおくびょうそうで、知能がひくいようなぼんやりした表情をしていた。

生徒たちもしだいにつまらなくなったようだ。列をくずしてふざけはじめたりする。

「しずかに、みなさん、しずかに!」

教師がひとり汗だくになっている。案内人は微笑している。

「ひさしぶりに、わかいお嬢さんがたにお会いすると、じつにいいですねえ。みなさん、はつらつとしていて元気で。ここでは、あんまり働きがいがないのです。なにをしてあげても、たいして感謝されるわけじゃないし、『ありがとう』っていわれても口だけで、心がこもってないしね。彼らはおそるべき無感動に毒されているのです。ま、それが男性の特質としたら、しかたありませんが」

ちがう。

なにかが、ずれているような気がする。自分だって、こういうところに閉じこめられて一生出られないとなれば、無感動になるかもしれない、とわたしはおもう。

見学をおえてひきあげようとしていたとき、ひとつの事件がおきた。

食堂のまえをとおりかかると、食事の時間はすぎて内部には人のいる気配はなかったのだが、ひとりの男がとびだしてきた。男は、女生徒のひとりに抱きついたのだ。その生徒はギャアとかなんとか叫んだ。教師と案内人がかけつけて、すぐにひきはがした。

案内人は男を叱責しながら、ベルを押した。警備員が三人、走ってきて、彼を捕獲した。

当の生徒は、ただおどろいただけで、気絶もしなかった。

「よかった、なんともなくて。お嬢さん、ごめんなさいね。あの男は、以前にも、ああいうことをしたのです。精神異常ではないんですが、やっぱりおかしいんですね。おそわれたのは、見学者ではないんですが……何回やったら気がすむんでしょうかね」

それ以上しゃべるとまずいとおもったのか、案内人は口をとざした。

「危険ですね」

教師はそういった。

なぜ危険なのか、さっぱりわからない。というより、あの男がおそってきた理由が、まるでわからないのだ。この居住区の外にいる人間にたいして憎しみを感じたのなら、ナイフや包丁などの凶器をもっているはずである。なんの目的でおそってきたのか、抱きついてくるのか、わからない。

もしかしたら、教師にもよくわかっていないのかもしれない。

かえりのバスのなかで、生徒たちは「期待はずれだったわねえ」なんぞといっている。いま学校では、以前のマンガが流行している。以前のものは、映画や小説など禁じられているものが多いが、そのころ少女マンガとよばれたものは、許可がおりている。そこにでてくる男たちは、おもに少年が多いが、非常に魅力的である。男を模倣する女たちは、この少女マンガを参考にしている場合が多い。少女たちは、そういうのが男だと、おもいこんでいる。

ヒロインがおもいを寄せる相手は、たいていの場合、やせている。ブタより太った男は、わき役で出てくることはあっても、主演にはならない。ひょろりとしたながい手脚と、繊細な顔をしていて、つめたかったりやさしかったり純情であったりする。情熱的なのは、あまり出てこない。その男っぽさで少女たちに大人気のある俳優は、レイによると「非常に情熱的」なのだそうだ。

少女たちは、以前のマンガをよんで、男とはこういうものであった、とおもいこんでいるので、きょうはガッカリしたというわけだ。

「いやな感じ、うけたわ」

そういったのは、レイである。

「カッコいいのなんて、ひとりもいなかったもの。白い手の、指のながい男なんて、ひとりも！」

みんな、美しい男たちを期待していたのだ。

「動物園みたい」

「そうでもないけどさ、種族がちがうという感じ」

「どうして、以前は、男性なんかと結婚したのかしら」

「以前の男性は、マンガにでてくるみたいだったんじゃない？」

「質がおちたのよ、きっと」

「それとも、以前のマンガは、まるで夢物語しかかいてないのかしら。ほんものの男って、あんなものじゃなくって、もっと力強いのかもしれないわ。だって、うちの、大伯母さまがはなしてくれたもの。大伯母さまって、男性といっしょにくらしたことがあるんだって。ふつうの男のひとは少女マンガにでてくるのより、ずっとたのもしいんだってさ」

「しかし、ねえ、気がつかなかった？あのにおい。なんだかくさくて、わたしは倒れそうだった」

「うん、ムカムカするような、いやーなにおいしたもんね」

「バレー部のロッカールームも、あんなにおいするよ」

「しないよ」

まったく、にぎやかだ。

わたしはひとりだけ、かんがえこんでいた。


明け方、窓べにすわる。

彼が来ようが来まいが、いつも待つのが習慣になってしまった。

きょうこそは、声をかけてみよう。友だちになってみよう。一大決心をした。もちろん、学校なんか休んでしまうつもりだ。おばあさんや姉にバレるといけないので、マキに伝言をたのんでおいた。

「なぜ休むのさ」

マキの質問には「非行少女になるのじゃ」と答えておいた。彼女は「ヒ、ヒ、ヒ」と妙なわらいかたをしてみせて、了解した。うまくごまかしてくれるだろう。

いつもとだいたいおなじ時刻に、少年はとおりかかった。彼は窓の下で、小鳥に似せた口笛を吹いた。姉にみつからないように。しかし、彼女はいつも「ねむれない」といっては薬剤師の友人に横ながししてもらった睡眠薬をのんでいるから、だいじょうぶだろう。つごうのいいことに、おばあさんはすこし耳が遠い。

「いま、下におりてくから、待ってて」

紙片にそう書いておとした。彼はよみおわると、それをズボンのポケットにいれ、手で大きく、O

Kのサインをした。

いつも持ちあるいている、大きなバッグをかかえて、わたしはしのび足で階段をおりた。この階段はすこしきしむのだ。

「あなた、なんて名前?」

窓の下で待っていた少年に、わたしはちいさな声で問いかけた。

「ヒロ」

彼はひとことというと、あるきだした。

「男のひとでしょう?」

わたしもならんであるく。彼は、わたしよりずっと背が高い。二階からみていたときは、そうともおもえなかったが。

「そうだよ」

「じゃ、なんで、こんなとこをウロウロしてるの? 男性は特殊居住区にいるはずよ」

「シッ」

彼はくちびるのまえに指をたてた。

彼の足どりは速く、ついてあるくのに苦労する。

このへんはすこしあるくと、家がなくなる。畑と工場あとの原っぱになる。彼は人通りのすくないところをえらんであるいているようだ。

「うちへくる?」

ずっとまえに操業を停止した自動車工場のへいにそってあるきながら、彼はたずねた。わたしはうなずいた。なぜだか理由はわからないが、非常に幸福な気持ちになっている。

「これは、ほかのだれかにいわないで」

彼はいちおう口にしたが、わたしを最初から信用しているらしいのがわかった。

「おれ、自分の家がないの。だから、ここを借りてるんだ」

彼はその自動車工場のへいのくずれたところから、なかにはいった。大きな建物からすこしはなれたところに、学校でいえば小使い室か宿直室のような建物があった。彼はそこへはいっていった。

「おれ、めったに外へでない。あなたに会ったのは、だから幸運な偶然というわけよ。どうしても、男の服装して外へでたいときがあるんだ。一カ月に一回くらいだけど、そういうときは、真夜中に散歩にいくの」

「月に一ぺん?」

わたしはききかえした。彼はドアのカギを内側からおろした。なかは暗い。二方向に窓があるが、ふたつとも雨戸がしめてある。

「そう。あのうさぎ、もらってから、なんとなくまたすぐ顔をみたくなった。で、危険だけど、のこのこ出かけていったわけさ。何回もね。よくみつからなかったとおもうよ。冷汗もんだ、いまからかんがえると」

二部屋あるらしい。彼は靴をぬぐと、それを手にもってあがった。わたしもまねをした。

「あなたはいいんだよ。女靴だから」

彼はわらった。

「この靴はね、ぼくのおとうさんがはいてたやつ。すこし大きい」

「おとうさん？」

「男親のことだよ」

「あん、男で親なんて、いるの？」

わたしはびっくりぎょうてんして、バカ声をだした。それでは、生殖にかかわれば、親ということになるのか。

「そうさ。あなたにも、男親がいるはずだよ」

彼はおちついた声でいった。

「いないわよ。おかあさんだっていないし」

「でも、おかあさんは、はじめはいたんだろ」

ヒロは笑っている。

わたしは急に、なにもかもわかってもらいたい、という気持ちになって、自分の家族のことや学校のことを、しゃべりはじめた。

「その、ねえさんっていうのは、あなたと血のつながったきょうだいなの？」

ヒロが的確にそうたずねたので、わたしはかなりおどろいた。母親はおばあさんといっしょに住んでいて、未婚でもらい子をした。それが姉だ。わたし自身は、母親がうんだのだ。

「だろうな。ひとりめでバレちゃうもの。いいかい、女と女が同棲したって、子供なんかできないんだ」

「知ってるわよ。病院いってつくるのよ」

「だけど、男と女がいっしょにくらすと、子供が自然にできちゃう場合もあるんだよ」

そのせいで、男性は居住区へとじこめられたにちがいない。彼らが街をあるくと、その放射能みたいなものがからだから発散されて、ちかくをあるいている女性は、ほぼ全員妊娠してしまうのだろう。

それを口にだすと「バカだなあ」とわらう。ヒロは、しょっちゅうわらってばかりいる。

「どうしてわらうの？」

「あなたといると、たのしいから」

「なんで、こんなところに住んでるの？」

「家出したからさ」

「おかあさんは、どこにいるの？」

「このちかくだよ。あなたの家から、そんなにとおくない。おれ、昼間外へでるときは、女装するんだ。そのほうが安全だからね。だけど、スカートなんて、大きらいだ。ちいさいときは、でも女の子のかっこうしてて平気だったんだよ」

ヒロの母親は、どこでみつけたのかわからないが、とにかく男といっしょにくらしていた、という。屋根裏にとじこめて、人目につかないようにしていたらしい。郊外の屋敷でとなりとはなれていたので、夜は庭を散歩したりしていた。ある年の冬、なにかの病気で死んだ。医者にみせるわけにはいかなかったのだ。

妊娠したときは、病院につとめている友人にたのんで、にせの証明書をかいてもらった。その後何年か、それをタネにゆすられた。

「あなたの場合は、その証明書みたいなものがうまく手配できなかったんだろう。今度、戸籍をとりよせて、出生地をしらべてごらん。きっと収容所の所番地になってるから」

わたしは、母親が収容所にいれられている、ということまで、彼にうちあけてしまったのだ。だが、彼はわたしにすがたをみられたという弱点をもっているから、安心できる相手でもあったのだが。

昼ちかくになると、ヒロはパンとジュースをだした。母親がもってきたり、女装して買いにいったりするらしい。

たべおわると、わたしはバッグからタバコをだした。彼はすったことがない、といった。わたしがおしえるとそのとおりにした。目まいがきたらしく、うしろへひっくりかえった。いつまでもおきあがってこないので、顔をのぞきこんだ。彼はいきなり抱きしめると、レスリングみたいに、回転してわたしをおさえこんだ。はじめは、ふざけているのか、とおもった。だが、ちがったのだ。まるっきり、ちがったのだ。ヒロは、ふざけてなんかいなかった。

その日の夕方までに、わたしは人生の意外なおそろしい真実を知った。そして、それを体験した。

七時すぎに家へもどると、姉はもう帰ってきていた。

「ずいぶんおそいわねえ」

わたしはだまって、二階へあがろうとした。

「ごはんは?」

「友だちのとこでたべてきたの」

自分の部屋にあがって、ベッドにたおれこんだ。

「いまの社会はすこしおかしいんだ。女と女の世の中なんて」

帰りぎわに、ヒロはそういっていた。彼は乱暴なところもあったが、じゅうぶんやさしかった。ふたりで秘密をもつ必要があるんだ、と彼はいったが、そんなのは理屈だ。こうするのが自然なのだ、とも彼はいった。それはそうなのかもしれないが、なんというおそろしいことだろう！

わたしはぼんやりして、机にひじをついていた。それから、大事なタバコを一本すう。

姉が予告もなしにはいってきた。

「さっきからノックしてるのに、どうして返事しないのさ。あんた、そんなもの、どこからもってきたの？　ははあ、どろぼう猫はユーコだな」

「なんの用なの」

わたしはようやく、眉をよせた。

「おばあさんがよんでるわ」

わたしはのろのろと立ちあがった。

なんだって、こんなときに、おばあさんはわたしをよぶんだろう。

「気分がわるいからって、いっちゃダメ？」

「だめよ」

姉はつよい声で断定した。どうして、そう自信たっぷりなのだ。人生には、あなたの知らないことだってあるのに。だが無知な人間は、おそろしいことを知らないから、自分を信じられるのだ。彼女の目がひかっているような気がして、なんとはなしにひけめを感じる。

「どうしてたのよ。だるいみたいね」

「べつになんでもない」

彼女が、わたしのしたことを見すかすわけはない。知識も経験もないのだから。アサコは、あんなおそろしいゾクゾクするようなことを体験せずに、一生をおわることだろう。そして、それはたしかに幸福なことだ。わたしがその日の午後に知ったとんでもない事実は、だれにもしゃべってはいけないことなのだ。

おばあさんは、大きないすにすわって、キャンデーをたべていた。なんだか、やたらにみじかいスカートをはいている。ドアをあけたときは、スカートをはいていないのか、とおもったくらいだ。

「戸だなを整理したら、わかいころきてた服がでてきたの。どう、おかしくない?」

おばあさんまで、頭がへんになっちゃったのか。わたしは頭を横にふった。

「でもやっぱり、おかしいでしょ」

「いいえ」

それからしばらくだまっている。わたしは壁ぎわに立って、スリッパをはいた自分の足をみていた。

「残念ながら、あたしゃ、そんなに耳は遠くないんだよ。けさ、へんな小鳥がきたとおもったら、孫娘をつれていった」

まあ、それじゃ、全部知っていたのかしら。

「アサコはちがうけど、おまえは母親にそっくりだね。だけど、あきらめることだよ。それにあの男はもう、あそこにはいないさ」

わたしは、ヒロのことばをおもいだして、涙にくれた。

彼はいったのだ。「人間はつがいの動物だ。つがいっていうのは女と女じゃなくて、男と女のことだよ。たとえば、おれとあなたが、ふたりで生きていくってことなんだ。たがいに信頼しあってね。おれの母親は幸福だったとおもうよ。もちろん父親もね」

「おかあさんは、なにをしたの?」

わたしは、きいてはいけないことを、それまで一度も口にださなかったことをたずねた。ヒロのいったことと、つながりがある、と確信したから。

「おまえとおなじようなことさ。それで、あたしは、娘をうばわれた。あのころは、あの子がそうしたいなら、とがまんして協力していたけれど、もう、がまんなんかしないよ。この年になって。だけど、おまえは安全だよ。あたしがうまくいっといたから。あの男は、居住区へ収容されるだろう。ねえさんはなんにも知らないから、口にだしちゃ、だめだよ」

わたしはうなずいた。

「じゃあ、おまえに、いいものをみせてあげる。戸だなをあけて、右側にある箱をだしてごらん。最近は、おおっぴらにレコードもかけられないんだからね、まったく、もう」

おばあさんは、窓をしめてレコードをかけた。そのようなぜいたく品をもっているとはおもわなかったので、意外な気がした。

八時までにローリング・ストーンズとブルース・プロジェクトとゴールデン・カップスをきいた。

「あれはなんなの？」

わたしはきょうまでのことをおもいだしながら、たずねた。おばあさんは、キザなことばでこたえた。

「ひとつの青春だよ。だけど、おわってしまったんだ」

自分の部屋にかえると、心の痛みなんてまるでのこっていないことに気がついた。女と女の世の中。これはこれでいいのだ。だけど、あんなことを知ってしまったわたしは、このあと何度も思いだすだろう。十年も二十年もおぼえているだろう。かわいそうなヒロは、居住区にとじこめられて、無気力に低能になって、わすれてしまうかもしれないけど。わたしは日記をとりだした。かまいやしない。きょうあったことを正直にかこう。

だけど……とわたしはとちゅうでペンをおいた。あんなことを知ってしまったわたしは、決してしあわせになれないだろう。なぜなら、この世界をうたがうことは罪悪なのだから。みんながみんな、この現実をこの世界を、信じてうたがわない。わたしはこんな世の中で、たったひとり（じゃないかもしれないけど）ある重大な秘密を知り、しかもそれをひたかくしにして、生きていかなければならない。

地下抵抗運動に身を投じるつもりは、いまのところない。しかし、やがてはそうなるかもしれない。わたしは身ぶるいして、また日記に没入した。

きっと、きっと、いつかきっと……。なにかがおきるだろう。身ぶるいしながらも、わたしは日記をかきつづけた。

契約

「あかり、はやくけしてよ」

妻が背を向けたままいった。「ねむれないじゃないの。あした六時起きなのよ。わたしは」

あんたとちがって……ということばが、そのあとについてきそうだ。彼はながいため息をつくと、ナイトテーブルからタバコをとった。

「なぜ、けさないの」

妻はいらだっている。

「いや、もうすこし……いいじゃないの、これぐらい。かんがえごとしてるんだから」

彼は喫茶店のマッチで火をつけた。

「へえ？　あなた、いつもそうじゃない。なにを思考してるの？　まさか、あたらしい就職先のことじゃないでしょ？　超能力とか奇現象とか、そんなことばっかりね」

なかなか寝つけないので、きげんがわるいらしい。もっとも、妻はこの種の話題には、いつもいい顔はしない。プラットホームに立っていたら、死んだ友達の顔が空いっぱいみえたとか、群衆のなかに、そこには決していないはずの女の頭部が浮いて見えたりするのはしょっちゅうなのだ。彼にとっては。

「それはどんなふうにみえるわけ？」

妻はたずねたことがある。

「そうね、顔だけがきりはなされて、そこにただよってる異様な感じするんだよ。でも、そんなこと、しょっちゅうだから、気にしないことにしてる。それよりね、いま、きみをみてたら、肩から肋骨にかけて透けてみえるよ。骨が」

すべてこの調子なのだ。それが勤め先をクビになった遠因なのではないか、と妻はかんがえている。

彼女は彼のそういう部分を無視しているわけではなく、ましてや軽蔑しているわけではない。彼の場合は、超能力ではなく単なる妄想かもしれない。彼の精神状態はかなりおかしい。わけのわからぬことを一週間もわめいて、入院したこともある。だが、彼女にはその種の才能がまるでない。なんとなく、夫につまはじきされているような気がする。おもしろくない。

彼は横になってタバコをすっている。

妻のほうは（勝手にメイソウにふけりなさい。いつまでも）という心境だ。自分に迷惑がかからなければいい。

彼はタバコをもみつぶすと、あかりをけした。カーテンをとおして外からの光が意外にあかるい。ここは二階なので、よけいにそうなのだ。

「きこえない？」

彼がいう。

「なによ」

サイレンの音や窓の下をいく酔っぱらった学生の声がきこえる。

「あ、そうか、ごめん。このところ、三日ばかり、しきりに脳に通信してくるのがいるんだよ……なんだろうな」

「あなた、きのうは、杉並でその日に死んだひとたちが、この下の道をあるいてるっていったじゃない」

「うん。それは確実だった。老人が多いんだけど、なかには若いのもチラホラいて、歩行っていうんじゃなくてただよってる感じだった。彼ら、自分が魂だけになっちゃったっていうことに気づいてなかったんだよ。それで、夜中にふらふらさまよいはじめたんだな。そんなことに気をとられてたんで、この信号に注意をはらえなかったんだよ。これは救助を求める信号だ。しかもだんだん強力になってくる。はじめおれは、日本のどこかからだろう、とおもったの。それにしては、感触がちがうんだよね。ほかの星から、きたんじゃないかな」

「銀河系?」

「ちょっとわからない。でも、たぶん、そうだとおもう。疲れるけど、ちょっと意識を集中してみよう」

彼は半身をおこして、ヘッドボードに寄りかかった。腕組みして、目をつぶる。

彼女はベッドからでて、台所へいった。紅茶をいれようとおもったが、寝るまえなのでやめにする。氷をだしてジュースをそそぎ、ついでにチーズケーキもだす。今月の家賃、まだはらってない。管理人にいやみをいわれた。

ベッドにもどると、彼女は口を大きくあけて、ケーキをおしこんだ。ジュースをのむ。彼はあいかわらず、目をつぶったままだ。そんな男に、以前は非常に気をつかったものだった。だが、もうなれてしまった。へんに神経をいらだたせないほうがいい。ほっとけばいいのだ。

彼女はケーキを一個半たべた。彼のために半分だけのこしておけば、いちおうかっこうはつく。それから、おぼえたてのタバコをすった。

「……わかった」

しばらくすると、彼は目をひらいて、腕をほどいた。彼女はその手にジュースをもたせてやる。彼はストローをつかわずに、直接コップからのんだ。彼女はストローを、ナイトテーブルのうえのトレイにもどした。

「ずいぶんとおくの惑星から、助けをもとめてきてるんだよ。極地にアミーバ状の生物がいて、それはながいあいだ、どうってことなかったんだけど、地軸が急にかたむいて、繁殖しはじめたんだ。その生物が海も山も平地も都会ものみこんで、おそろしい勢いで地表をおおいつくそうとしている。もとは、たったひとつの細胞で、切ればふたつになるけれど、すぐまたくっつく。北極と南極からじわじわ侵略してきて、その星の知的生物体は、赤道付近まで追いやられた。のみこまれた人間たちも、たくさんいる。両方の極地からきたアミーバはつながって、またひとつの細胞になった。そのひとつっきりの細胞に、地表のほとんどは、やられちゃって、いまは赤道の高い山にしか、ひとびとはいないんだよ。救世主みたいのが、山のてっぺんで祈っている。彼らには、もはや、それしかできないんだ。その救世主は、白いローブみたいのをきて、けんめいにほかの星に助けをもとめている。おれは、なんとかしてやりたいよ。よし、もういちど、意識を集中しよう」

彼がそうしているあいだ、妻はのこりのケーキをぱくりとたべてしまった。

とおくで、またもやサイレンがきこえる。きょうは火事が多いんだな、とおもう。もっとも、彼らは消防署から五百メートルくらいのところに住んでいるのだが。救急車らしい音もきこえる。

「その星は、かなりとおいところにあるんだ」

三十分ほどして、彼はつぶやいた。「いまはいってる通信は、五千年くらいまえのものなんだ。その星は、現時点においては、こういう状態にはないんだよ。だけど、救助してやりたいなあ。おれの精神力じゃ無理だろうけど。ひとつの惑星を救うなんて。もういちど、やってみよう」

またもや三十分ぐらい。

もう夜中の三時をすぎている。彼女の勤め先はちいさなバーだからかまわないけれど、午前ちゅうに家事をやる時間がなくなってしまう。それでも非常な興味をおぼえたのはたしかで、彼のようすをじっとみる。

彼は外からの淡い光にてらされている。目をとじ、眉のあいだにしわをよせている。

彼女はまたベッドからでて、トイレにはいった。彼の分のジュースものんでしまったからだ。

ベッドにもどるまえに、本棚から「前世を記憶している十一人の子供」というノンフィクションをとりだした。彼女はこういう読み物が大すきなのだが、彼はバカにしてよもうとはしない。彼は、自分の能力内のことにしか、自分の力にしか興味がない。

彼女はベッドにもどってあかりをつけ、よみはじめた。しだいにひきこまれていく。

「もうだいじょうぶだ」ホッとしたような声で、彼は宣言した。「彼らは助かった。嵐みたいなのがおこって、ヒョウがいっぱいふって、単細胞生物は、退却しはじめたんだよ」

「あら、極地にもともと住んでたんでしょ。それなのに、氷のかたまりにはよわいの？　へんよ」

「だって、うえから、すごい勢いでふってくるんだから。しかも広範囲に。地球でかんがえるようなヒョウじゃないんだよ。刃物みたいなものさ。それにズタズタにされちゃったんだ。ひとびとは知恵があるから、地下のシェルターにもぐりこんだ」

「……ふうん」

　理解したわけではないが、なんとなく納得する。この場合「まあ、そういうことがあってもいいけどさ」という形において。彼が自らの超能力についてなにごとかを確信もっていう場合、しかもそれが非合理にすぎる場合、彼女はこういうふうにかたづけるのがくせになっていた。

「そんな本、よんでるの？　あんたもすきだね」

　夫がいう。そんな本といっても、彼は生まれかわりを占師のようにピタリとあてる能力がある、と日頃からいってるではないか。彼女が転生に関するものに興味をもっても、わるくはないとおもうのだが。

「わたしの前世、なんだったか、おしえてよ」と妻がいった。彼はまじめな顔で「あんたはねえ、みどりいろの、ちいさな雨ガエルだな。でなかったら、せいぜいハエよ」とかるくうけながした。

「あなたは？」

「おれは、神の子。ジーザス・クライストじゃないかとおもう」

「精神病院には、かならずそういう患者がひとりかふたりは、いるんですって。自分はキリストだって、あとは天皇陛下とかね。年とったほうでは乃木大将とかマッカーサー。ヒットラーなんてのもいるらしいよ」

「だって、おれ、救世主だもの。これはだれにもいってない話なんだけど、七歳のときに神をみたんだよ。そのころね、アパートにいて、そこには中庭があったの。アパートのまえの道にそって川があって、その向こうは野球のグラウンド。

おれ、その中庭で犬とあそんでたの。そしたら、ギリシャ時代みたいな服をきた男のひとが天からおりてきて、地上二メートルぐらいのところにとどまったんだ。犬は、はじめ吠えたけど、きゅうにおとなしくなっちゃった。あれはやっぱり、神か宇宙人かとおもうよ。おれひとりだったら白昼夢だけど、犬がそばにいてその態度みれば、なにかに反応してるってこと、わかるもの。

そのひとはね、全体的になんとなく透けているの。それで『おまえに救世主としての能力をあたえる』っていうわけ。日本語でしゃべってそれを耳にきいたんじゃなくて、頭のなかにはいってきて、即座になにをいいたいのか理解できたんだよね。それから、そのひとは、これから世界でおこるいろんなことをフィルムみたいにみせてくれた。十五分ぐらいできえたけど、犬はキョトンとしてたよ」

「特別な能力って、なに?」

「いや、だからね、それが……」

「わたしが雨ガエルで、あなたがキリストだって？」

「冗談だよ」

「じゃあ、その念力——っていっていいかどうかわからないけど、あなたの力で前世を透視してちょうだい」

「すごくつかれるんだよ。たったいま、地球の外からの通信をうけとったばかりだろ？　エネルギーをつかいはたしちゃった。それに自分や身近の人間のことは、知りたくないものなんだ。だって、だれも知らないほんとうのことなんだからね。おそろしいよ」

彼は重おもしく解説した。

彼女はきいているような顔をしていたが、夫のことばは半分ほどしか頭にはいらず、それもすぐにきえた。今度の給料をどんなふうに配分し、どんなふうにつかおうか、とかんがえはじめていたのだ。借金がかなりある。五、六万は返済にあてよう。部屋代が四万八千円。それから……。

「だけど、あの星はどこにあるんだろう」

彼が口をひらいた。

「白鳥座六十一番星」

彼女はおもいつきを口にだした。アルファ・ケンタウリでもかまわない。

「いや、ちがうよ……こんなふうに地球にテレパシーがとどくぐらいだから、彼らのうちの何十人かは、地球に移住してきてるかもしれないな」


母親はテレビをちらちらみながら、化粧をしている。大きなコンパクトのかげから、ゾッとするような青にぬられたまぶたが、十八インチの画面をうかがっている。

「暁子、おまえ、つけまつげ、知らないかい?」

娘は呆けたような顔で、中年女をみかえした。

「こないだ、買っておいたんだよ。ひきだしの奥にちゃんといれてたのに、どうしてなくなったんだろう」

「知らないわ。そんなの。おかあさんが、だらしないからよ」

暁子はテレビのほうを向いた。格別おもしろい番組をやっているわけではない。母親と口をききたくないからだ。

「まあ、いやだ、へんな女だね。ミス・短足だって。へーえ」

母親はパフをもった手を空中でとめて、テレビに見いった。

「あんな脚のみじかいひと、いるんだねえ。だけどわざわざでなくてもいいのにさ。恥をさらすようなもんじゃないか」

暁子は母親をふりかえったが、また視線をもどした。ものをいうのが、めんどうくさい。この女は、なんだってこんなに厚化粧するんだろう。店へいってから、ぬりたくればいいのに。母親は口紅をだすと、片方の目でテレビをみながら、ぬりはじめた。紅筆をつかわないので、すこしはみだした。はみだしたところを、また濃くぬりなおす。くちびるがうすいから、こんなふうにすれば肉感的にみえる、とあるとき解説していた。そのとき母親はさらにつけくわえて「おまえみたいに原始的にくちが厚い女には、似あわないんだよ」いつでも、ひとこと多いのだ。

口紅がおわると、今度は香水だ。暁子は人形ケースの横の置時計をみた。まだ六時をすぎたばかりだ。母親がでかけるには、あと一時間ほどかかるだろう。

「暁子、酒屋に電話しとくれ。ビール二ダースといつものウィスキーとブランデー、三本ずつ。それにワインもね。サッちゃん、もうきてるはずだから、店の外へおくようなまねしないでって」

暁子は立って、いわれたとおりにした。酒屋が「ミネラル・ウォーターは?」とたずねたので「適当に」とこたえておく。

「サッちゃんが、いまごろきてるわけないでしょ」

電話をきってから、暁子はいった。

「あの子はまじめだから、きてるよ。カウンターのなかをそうじしてるさ。あたしは信じてるからね。信用できないのは、この世のなかで自分の娘ぐらいなもんさ」

母親はいつもの調子で、あっさりと片づけた。暁子は立ったままそれをきいていたが、自分の三畳にはいった。ほんとうはつくりつけの洋服ダンスのなかにはいって、戸をしめ、息をひそませていたかったのだ。母親がおそろしい顔で「気ちがい!」というにきまっているので、それはやめにした。

部屋は暗い。暗室用の黒いカーテンが、天井からさがっている。暁子はシングル・ベッドに腰かけた。ひきだしをあけると、例の中年男からもらった金いろのライターがあった。下の方に日記がはいっている。ひらいて、きのうのページをよんだ。日付のつぎに、奇妙な記号と数字が、かいてある。

666――9　○☆　へだたり
ついに真理を発見する。あとはそれを証明するだけだ。その方法を、わたしは「お告げの部屋」でさとった。ただ実行すればいいのだ。6と9がおどっている。
この数字には、すごく意味がある。

暁子は日記をとじた。自分のかんがえていることはあまりに独自なので、ほかの人間たちにはわからないのだ、とおもうとうれしくなる。母親は日記を盗みよみしているかもしれないが、低能だから理解できないだろう。自分とは人種がちがうから。

「はやくおふろにはいりなさい」

中年女の声がきこえてくる。

「あとで」

暁子は口ごもっている。

「じゃあ、元栓しめとくからね!」

母親は化粧をおえたのだろう。タンスをひらく音がきこえる。

「なに着ていこうかしら。このラメのでいいかな。あー、いやんなっちゃう。ネックレスがみんなもつれて……しかたないから、象牙のでもしてこうかしら。だけど地味だわ。こっちのきんいろの葉っぱをつないだみたいのほうがいいかもしれない。暗いからニセモノだなんてわからないだろ。それともオパールがいいかな——暁子!」

彼女はベッドに横になって、母親のひとりごとをきいていた。

「ちょっとみておくれよ。どれが似あうか」

「勝手にやったらいいでしょ。何年水商売やってるのよ」

娘は身うごきせずに、枕に頭をうずめている。

「いいからさ、どっちが似あうか」

「葉っぱのでいいじゃない。はでだから!」

暁子は顔をあげてどなった。

カーテンのすきまからみえる空は、夕暮れの蒼みにみちている。もうすぐ、彼女が大すきな夜がやってくる。母親がいない夜。ひとりぼっちの夜。子供のころから、暁子はひとりぼっちだった。友達はいなかった。無口で無表情で、礼儀ただしい子だった。成績がよかったので教師にはかわいがられるほうだったが、そんなことはどうでもよかった。だれも愛してくれない、という長年のうらみのために、この世界にかすかな憎悪をもっていた。

二年ほどまえから、それすらも気にならなくなった。母親が自分をお荷物としかかんがえてないとわかっていても、つらくなくなった。だれも自分をわかってくれない、のは当然のことだ。あたりまえすぎる。だから同級生の男の子がラヴ・レターをよこし、それにたいして暁子がなんの反応もしめさないという理由で、ガス自殺をはかった事件にも感情をうごかされなかった。彼は自分ではわたしを好きなつもりなのだろうが……と暁子はかんがえた。なにもわかっちゃいないんだ。自分自身に陶酔していただけだ。だれもわたしのことを理解できるはずはない。なぜなら、わたしは地球人ではないからだ……。

男の子はすぐさま生きかえった。二カ月くらいして転校してしまった。事件の経過を知っている少数のクラスメートは、暁子の冷淡さを非難した。だが、すぐにみんな、そんなことはわすれてしまった。

ひとはなんでもかんでも、すぐにわすれてしまう、と暁子はおもった。だけどわたしには、決してわすれられないことがある。それは生まれるまえからの約束だ。その約束をはたすために生をうけたのだから、そのためだったら、どんな犠牲をもいとうまい。

「暁子、ファスナー、あげとくれよ」

母親が呼んでいる。やっと着ていくものがきまったらしい。居間へいくと、ひかるワンピースをきた母親が、肉づきのいい背中をむきだしていた。ファスナーをあげてホックをとめてやる。

「じゃあ、かるくなんかたべて出かけようかね。あたしは服きちゃったから、おまえ、紅茶いれとくれ。冷凍庫にピザがあるから、焼いてくれないか」

店へいって、客のおごりでなにかたべればいいのに、と暁子はおもったがだまっていた。このごろ、母親はしょっちゅうなにかを口にいれたがる。初老をむかえていじきたなくなったのだろうか。彼女はもはや、ふとることなど気にしないかのように、喰らいつづける。おなじクラスの奈々にこの話をしたら「欲求不満よ。決まってるじゃない。都《みやこ》んちのママも、いつもなにかたべてるんですって」といった。「あんたのママはどうなのよ」暁子がたずねると、奈々はかすかにわらった。「うちは浮気してるからね。若づくりしちゃ、出あるいてるわよ。相手は二十一か二の学生よ。いまに離婚するんじゃない?」

もうそろそろ、奈々に電話をかける約束の時間だ。母親はなんだって、どっしりとタバコなんかすっているのだ。はやく出かければいいのに。

暁子はアイス・ティーをいれた。

「ありがと、暑いからちょうどよかった」

母親は胸もとに風をいれている。目は、あいかわらずテレビにクギづけだ。

フライパンにアルミホイルをしわにして二枚しきつめ、そのうえに六等分したピザをならべる。

「ガスをつかうときは、かならず換気扇まわしとくれよ」

「わかってるわよ」

暁子はひもをひいた。台所の椅子に腰かける。

「ねえ、おかあさん、わたし、ほんとにおかあさんからうまれたの？」

暁子はぼんやり口にだした。

「まあ、そんなこときくなんて、へんな子だね。あたりまえじゃないか」

母親は背中をむけたままこたえた。

「おとうさんはだれなの？」

「おまえが生まれてから、一年で離婚したあのひとだよ。いまはあの女といっしょで、子供もふたりいるんだってさ」

暁子は椅子に反対向きにすわった。背もたれのうえで腕をくむ。

「わたし、おとうさんの子じゃないんじゃないの？」

「なにをバカなこといってるのさ。じゃあ、あたしがほかの男をつくったっていうの？」

母親は、はじめてふりむいた。

「そうじゃないけどさ……」

「残念ながら、あの男の子供だよ」

「おかあさん、わたしが生まれるまえ、流れ星とかＵＦＯとかみなかった？」

「さあ、わすれちまったね。なにしろ十七年もまえのことだから……ああいうのは、目の錯覚でよくあるらしいじゃないか。おまえ、なにか、自分のこと特別な人間だとおもいたいのかい？　お告げがあったとか、生まれるまえに太陽がおなかにとびこんでくる夢をみたとか……年頃の子供はそうおもいたがるものさ」

「ちがうったら」

「おまえは病院でうまれたんだよ。そこの市立病院で。すごい難産でさ、おかげであたしのからだはこわれちゃったんだよ。そりゃ、いちおう縫ったけどさ、入院ちゅう、あんまりあるきまわりすぎて、やぶれちゃったんだよ。なにしろ、おまえの父親は女のとこにいりびたってて、一度も病院へこなかったからね。あたしの精神状態はよくなかった——ピザ、焼けたんじゃないの？」

暁子は皿のうえにピザをのせて居間へはこんできた。母親はナプキンのかわりにハンカチを胸もとにかけて、ピザをつかみあげた。

「ねえ、おかあさん、わたしにはなんで、きょうだいがいないの？」

「離婚したとき妊娠してたけど、おろしちゃったんだよ」

母親はむかしをおもいおこすときの、やさしい目になった。

「そうだね。もうひとりぐらいいてもよかったけど、あたしは働かなきゃならなかったんだよ。さびしいの?」

「いいえ」

「だったら、いいじゃないか。ひとりっ子だから、なんでも買ってあげられるんだよ」

暁子は「物」なんか、ほしくなかった。たいして関心がなかったのだ。中学三年のとき母親は上等のセーターを買ってきた。暁子はすこしもよろこばなかった。母親は「この恩知らず!」と叫び、しまいには泣きだした。「なんのために、夜昼ぶっとおしではたらいてるのよ。みんなおまえのためなんだよ。それなのに、なんてなさけない!」

それからの暁子は、うれしそうな演技をするようになった。やってみると、たいしてむずかしくはなかった。うつろな想いで「すてきだわ」とか「ほしかったの」とか「うれしい、ありがと!」とかいっても、母親には見抜けないようだった。まわりの人間は全部そうだった。

暁子は自分が陰気くさくみえることを知っていたので、つとめて快活そうな演技をしはじめた。学校にいるあいだそれをつづけていると、かえってきてから非常につかれる。なおかつ、演技を持続しつづけることは不可能だった。明かるそうにふるまっても、友達はひとりもいないのだ。

去年の秋、図書室でウニカ・チュルンの「ジャスミンおとこ」をよんでいた。よみながら、外のポプラの木をながめていた。風が吹く。木はたわむ。すきとおった陽ざしのなか、その木の向こうのグラウンドでは、陸上部の男子生徒たちが練習していた。ポプラの葉は黄いろみをおびているが、散りそうもない。よわよわしくみえるが、風にさからっている。

べつの窓をみると、糸杉がならんでいた。あの木の炎のような形は、風がつくるのだろうか。暁子はゴッホの画集がほしかったが、母親にいわなかった。彼女が母親に「買って」というのは、学校で買えといわれた物か、あるいは靴の底に穴があいて雨の日に靴下も足もどろだらけになってしまうような場合か、いずれかにかぎられていた。ゲオルク・トラークルの詩集もほしいが、だまっている。だれかを殺してでもほしい品物にならないかぎり、自分から要求することはない。母親は画集や詩集に感受性のない女で、わかい娘はきれいな服と化粧品さえあればいい、というかんがえだ。母親はこれまでに、いいにおいのするおしろいと、マスカラと眉ペンシルを買ってくれた。十六歳の誕生日には、バロックの黒真珠を、銀台の指輪にしたててくれた。「あんたがおカネできたら、プラチナの台にすればいいんだから」といって。だが、一週間もたたないうちに、暁子はそれを風呂の排水口からながしてしまった。サイズがゆるすぎたのだ。9か10がちょうどいいのに、母があつらえたのは11だった。石けんのあわで指からすべってしまった。それ以来、母親は気分を害して、マガイモノのアクセサリーしかくれないようになった。

おなじテーブルに女生徒がついたことを、暁子はしばらく気づかなかった。糸杉をながめていたからだ。

「あれ、つくりものだっていう気がしない？」

奈々はしずかにいった。暁子が顔をあげると、彼女はうつくしい横顔をみせて、テーブルにひじをついていた。おもっていたとおりのことをいわれたので、暁子は返事をしないで、この同級生をながめた。

「もっとも、人間なんか、みんな演技者で、つくりものだけどさ。演技してる自分が本物だとおもいこんでるやつは最悪だとおもうよ。意識してるんだったらいいけど」

「だれが？」

暁子は奈々にたずねた。

「演技してるくせにそれが本性になっちゃったやつ？　それはもう、ほとんど全部じゃない？」

奈々の声は冷静だ。暁子は妙にひかれるものを感じた。

「あなたはどうなの？」

「あたしはちがうよ」奈々は手軽にいってのけた。「それからあんたも。あたし、まえから、あんたのこと、気にいってたの。はなしができるひとじゃないかとおもって」

「だって、あなたは、友達がいっぱいいるじゃない。ボーイ・フレンドだって」

「生活のアクセサリーとしてね。必要だから」

奈々のしずかな声は、暁子のなかにしみとおった。

「きょう、うちにこない？　いっしょに勉強するっていえば、親は大歓迎だしさ。なんにもわかっちゃいないんだから……あたしの部屋、はなれだから、いろいろとつごうがいいよ」

暁子はすぐさま同意した。

ふたりは、窓の外のきんいろのしずかな秋をながいあいだながめていた。どこかで、コーラス部が「流浪の民」をうたっている。ものうい午後だった。

奈々の部屋にはピアノがあった。彼女はふたをあけて、クラシックを二、三ひいたあと「これは、バド・パウエルの『クレオパトラの夢』よ」と、正統的なジャズをひきはじめた。かなりのテクニックを要する曲だということは、暁子にもわかった。

「こんなの、どこでならったの？」

「レコードからよ。レコードきいて、ものまねしてるだけ。でもたのしいわ。今度は『ルシール』やろうか？　エヴァリー・ブラザースのコピーよ。はじめ、ずっとハモってくのよ。歌詞、知ってるでしょ？　あ、そこの譜面見たら？」

午後いっぱい、暁子は奈々のピアノをたのしんだ。彼女には才能がある、とおもった。それを口にだすと、奈々はわらった。

「このくらいひけるひと、場末のクラブにゴロゴロしてるわよ。どうってことないわ。あたしのピアノなんて。それよりあたしには生涯の目標がある」

「どんなこと？」

「あなたと似てるかもしれない。あたしはときどき、自分が人間じゃないんじゃないか、っておもうときがあるの。喪失感情だとおもうけどさ。なんにも感じないのよ。状況に感情移入できないのよ。だからいま、恋愛をしようか、とおもってるの。だれかをすきになれば、すきになるっていうことで嫉妬したり苦しんだりして、人間らしい感情をとりもどせるかもしれないわ」

「自己回復？」

どこかの本でよんだ文句を、暁子はいってみた。

「そうかもしれない。いまねらってるのは、ママの浮気の相手。ママはふりまわされてるけど、それはバカな女だからよ。あたしは決してひとを愛したりしないから、マニュアルとしてはうまくいくとおもうわ。それで、ほんとうにすきになっちゃったら、それこそ、めっけものじゃない。あたしは人間になれるの」

「なってどうするの」

「その先はかんがえないわ」

奈々は十二のときに四つ年上の兄に犯されたらしい。そのへんの記憶は、奈々自身にしてもあいまいなのだ。ふたりとも、男性という種族にかすかな憎しみを感じていた。奈々は兄によって。暁子は自分をすてた父親によって。

「わたしはとおい星からきた人間なの。何千年まえのはなしだけど、その星が廃星にならんとしててさ、救世主がすくおうとしてたわけ。あたしはとおい星で、その異星の人間として生まれかわるためにさまざまな呪文をうけて、その結果、あたしのからだは死んだも同然になったの。そうして、この地球にいま、うまれかわってきたの」と暁子は告白した。

「いつ知ったの?」

「一年ほどまえ。啓示的な夢をみたの。それから夜の星に注目して、祈っていると、流れ星だの、ときどきはUFOをみたわ。わたしのきょうだいも、そういう手段で地球にくるはずだったんだけど、多分、失敗したんだわ。兄か弟かわからないけど、全面的にたよれる異性なの」

「にいさんじゃないわよ、きっと」と奈々がいった。「ふたつ年下くらいのおとうとじゃないの? おとうとって、あたしにもいるけど、すごくかわいいわよ。あたしは弟にあまえちゃうの。たよりにしちゃうの。兄なんてあんな俗物、殺してやりたいわ」

奈々はめずらしく、しかめっつらをした。

「そのひとはおとうとなんだけど、兄でもあって、恋人でもあるし、婚約者でもあるの。何千年まえからの、これは契約なの。約束って、ひととひとのあいだのものでしょ。そのあいだに神がいれば、契約になるわ。旧約聖書、新約聖書っていうでしょ。あれは神との契約のことだとおもうわ。契約ってのは、神聖なのよ。保険の契約とか契約結婚とかで、ずいぶん安っぽくなっちゃってるけど。あたしと『彼』とのあいだにあるものは、神じゃなくて運命なの。それを確信してるわ」

「あんたはわたしよりしあわせよ」と奈々はいった。「あたしがこれからやろうってことにくらべたらね。不良になっちゃおうかな」

その日以来、ふたりは親友になった。

半年たって、あたらしい仲間ができた。やはりおなじクラスの都《みやこ》だが、彼女は十三のときに洗礼をうけて、将来は修道院にはいるつもりだった。この子は純粋無垢でひとをうたがうことをきらい、そのくせ家が民宿をやっているせいか東京からくる学生たちとフレンド・ボーイの関係にあった。性関係およびそれらしい雰囲気がすこしもまじらない男友達をこう呼ぶ。

三人はつれだって行動した。

二年になって、三人ともまたしてもおなじクラスに編入された。つまり学年でただひとつの就職組に。都は卒業したら修道院のつもりだし、きょうだいがたくさん（六人）いるから、親もさほどうるさくない。奈々は自ら「偽善的」とよぶ男女関係に熱心だし、家庭は崩壊直前だ。暁子の母親は自分は大学まででたくせに、その後の相つづく挫折に「女に教育は不必要」という信念をもっている。

母親はやっとのことででかけた。

暁子は奈々に電話をかけた。

「じゃ、七時半にいつもの喫茶店でいいんじゃない？　都にもそうつたえとくよ。例の中年男にあうの、九時でしょ。ねえ、いろんなものを買ってもらおうよ。あいつ、わかい女の子をゾロゾロひきつれてあるくのがジマンで、それによって若がえるとおもってんだから、てんであまいわね」

「あのバカはわたしたちの犠牲者になるべき人間なのよ」

暁子はひくい声をだした。

「そのとおり。あたしたちがつきあう理由が自分の地位とカネ——つまり男の貫禄だとおもってんだから、すなおなひとはいいわね。彼は彼自身の魅力で、女高生とつきあえるとおもってるのよ。低能。女は、とくにあたしたちは人間の男を利用するのだけが目的なのにさ」

「都はそうじゃないかもしれない」

「そうね。いささかまずかったかな、という気がしないでもない。彼女、あたしたちほどひねくれてないからね。でも、いまさら仲間からはずすこともできないんじゃない？　あたし、いまから都のとこへ電話するけど、いなければいいな、っていう気もするの。あの子に、きたない世界はみせたくないような……ねえ、暁子、あたし、あまちゃんになったのかしら」

「そんなことはないわよ」

「あたしや暁子には、人間の男に対する憎悪って必要だわ。だって、それが鮮明にならなきゃ、愛だってはっきりした形とらないもの。もし、愛ってもんがあるとすればね。あたしたちは、感情をどっかにわすれてきてるからさ。でも都には不必要じゃないのかな」

「とにかく電話してみたら?」

「OK。その結果によるわね」

奈々はなんども暁子にたいして「あたしたちは友だちね」と確認しつづけてきた。「そうじゃなきゃ、ほんとのことといえるひとがいないの。いまつきあってる学生にだって、あたしは自分のすべてなんてみせてないんだから。でも、彼、あたしに夢中よ。ママとわかれようかなっていったから、とめたの。この関係を秘密にしとくためには、かわったことしないほうがいいって。ママからはおカネがでるしさ。あたし、いまの学生のこと、激しくあきてきてるのよ」

唐突に暁子は宣言した。

「あの中年男には、犠牲者になってもらうわ。これは啓示で得たことなの。ゼッタイにそうしなければならないの。だって、契約によってあらかじめきめられた運命なんだから。わたしは実行するわ。あなた、とめたい?」

「とめるもなにも、あたしはいつだって、あなたの行動を全面的にゆるしてきたじゃないの。ゆるすってことは、突きはなすのとおなじことよ。勝手にしてよ、っていうイミ。それに、もし殺しちゃったとしても、たいして感動しないんじゃないかという気もするのよね。あたし、もっと十九世紀的『性格』をもった、ギンギンした男と恋愛するほうがいいみたい。あまったるいことばとか雰囲気なんか、たくさんよ。あたしはジュリアン・ソレルをもっとめんどう見よくしたような男とつきあうべきだわ。そんなやつ、いないけどさ」

暁子は顔をあらって、服をきがえた。ファンデーション下地クリームをぬって、ベビーパウダーをはたく。母に買ってもらったおしろいはピンクで、顔色のわるい彼女には似あわない。うすい眉をかきたして、マスカラをつけておしまい。玄関わきの大きな鏡でウェスト五十五センチを確認すると、満足してドアをでた。

三人は熱帯魚がひらひらする水槽のわきのテーブルで、しばらく雑談していた。話題は、家庭の内情などである。

「ママはなやんでるわよ。その学生に女ができたんじゃないかって。まさか娘のこのあたしだなんて、夢にもおもわないで。彼女(母親のことをこんなふうにいうのは、奈々と暁子だけだ)学生に、おカネつぎこんでるけど、それが全部あたしにまわってくるわけ。だから、ここの伝票もはらわせてよ」

「奈々、今夜もってるの?　じゃ、おねがいするわ。ねえ、都、それでいいじゃない。もってるひとがはらうってことで」

「あたしだって、アルバイトしたわ。うちでやってる海の家で。暁子ちゃんもきてくれたじゃない。だから……」

「いいのよ」と奈々がおさえた。「あなたは貯金しなさい。ボランティアやってて、たいへんなんでしょ?」

「そうだわ、わたし、ナイフか、出刃包丁買いにいかなきゃ」

暁子がたちあがった。都は「なぜ」とはいわなかった。都にとって奈々と暁子は、ナゾの部分が多い。だが、ほかの女生徒より(なにをしようと)妙に純粋に感じられるのはふしぎなことだ。だからこそ、この三人の関係はこわれることなくつづいてきたわけだが。

「荒物屋さんなら、すぐちかくにあるわよ。あの男と待ちあわせたとこ、あるいて二十分くらいでしょ。だったら、あと三十分は大丈夫よ」

三人は口をつぐみ、エンゼルフィッシュをながめた。暁子はバッグから詩集をとりだし、そのなかの『夢の中のゼバスティアン』をよみはじめた。

「これ、はじめはセバスチャンだとおもってたけど、ドイツ語の発音にちかづくとゼバスティアンになるのかしら」

「聖セバスチャンの殉教からきてるの?」と都。

「そうじゃない?」

暁子はページをめくる。

「あの絵、いやだわ。なんとなく官能的で……それになんといったらいいのかしら……」

「男色的?」と暁子は助け舟をだした。

「そうねえ、そんなふうにみえるときもあるわ。でも、そうみえるのは、あたしが神にたいして不純だからかしら」

「不純なのは、そんな絵をかいたひとよ」と奈々が、いつものとおり、あっさりとかたづけた。

「はだかの男が胸いっぱい矢をさされて横たわってるなんて、ホモのマゾイストがなみだながしてよろこぶわ」

「でも、この詩はいいのよ」

暁子はよみはじめた。

店にはクーラーがはいっているが、もう秋もちかい。去年の秋、奈々はツナギの皮ジャンをきて、オートバイにのっていた。彼女は自分が美人で脚がながいということを知っているので、そんなスタイルをするのだ。いなか町のことで、たちまちうわさはひろがったが、彼女の父が市の有力者であることと、彼女の、母親のちがう兄がいっぱしのヤクザであるため、危険な目にあうこともなかった。警察では、みてみないふりをしていたようだ。奈々の運転技術はたいしたものであったが、都は奈々のなかにどこかパセティックなものを感じていた。両手をもみしぼりたいほどに、それが心配なのだ。晓子は絵にかいたような優等生だが、しゃべっていることが全部架空世界の描写としかおもえないときがあり、その無機質さが、やはり気にかかる。

どうにかしてあげなければならない、と都は感じる。だけどあたしのこんなちいさな力で、このふたりをすくえるものだろうか。都は少女のもつ潔癖さ（と、本人が信じている部分）で、そんなふうにおもった。

「ねえ、ここにでてくる――ひげの顔が憐みをたたえてみまもり――っていうところは、キリストのことをいってるんじゃないかしら」

晓子がひらいた本のある行をおさえて、都にみせた。都はその詩を全部よんだ。『聖ペテロ墓地』とか『聖夜』とか『ばらの天使』『復活祭の鏡』がでてくるところをみると、内容はキリスト教的なものをうたっているらしい。だが、彼女にはわからなかった。詩にたいする感受性はないのだとおもい、ふかいかなしみの息を吐いた。晓子はしばらくよみつづけた。

「さあ、いかなくちゃ」

奈々がたちあがった。

晓子は荒物屋で果物ナイフと出刃包丁を買った。中年男との約束の場所へいくとちゅう、薬局があったので、貝じるしカミソリも買った。

男は先にきていた。汗をふいているところをみると、せいぜい二、三分まえに到着したらしい。

「やあ、暑いね、まったく。それにだるくてかなわん」

彼の頭部は正六面体にちかい。全面的にはげているので、よけいそのようにみえるのかもしれない。彼は頭もおしぼりでふいた。

「精力がつよい男ははげるってのは、まったくほんとだな、ハッハッハ。事業はバリバリこなすし、あっちのほうもますます盛んなんだから、自分でもいつ中年になるんだろうって心配してるのさ」

少女たちは彼のことばなど、無視している。

「おなか、すいてるんじゃないか？　うまいイタリア料理の店があるんだ。まず、そこへいこう。そのまえに、だ。きみたちにおみやげもってきたよ。奈々ちゃんはあたらしいオートバイがほしいっていってたけど、あれはかなり高いものなんだね。びっくりしたよ。これはその金額の三分の一ぐらいにしかならないが、とっといてよ。あとはおいおいとね……。来月になれば、かなりカネがはいるし。暁子ちゃんは、ちゃんと化粧すれば一流のモデルになれる素質があるよ。ぼくがやらせている美容院でそろえさせたんだ。これ、うけとってよ。遠慮せずに。美容室の半額券もある」

モデルがよくつかう、硬質の箱型のバッグを彼はテーブルのうえにだした。暁子はほしくはなかったが、いちおううけとった。

「都ちゃんが、これがこまった。だって、すごく清純な印象うけるからさ。でも、そろそろアクセサリーもほしいんじゃないかとおもって、二、三もってきたよ。これ、ちいさいけど、本物のサファイアのペンダントだよ。宝石店で買うと、かなりの値段だ。だけど、ぼくは善人だもんでいろんなひとにカネをかしてるんだよ。その担保として、ダイヤもルビーもエメラルドも、会社の机にゴロゴロしてる。ぼくの力だったら、ただ同然で手にはいるんだ。ついでに時計ももってきたよ。この細工、きみみたいなひとにはいいんじゃない？　繊細で目立たなくて」

都は、ふたりの女友達の顔をうかがった。ふたりとも「もらいなさい」という表情をしている。彼女は顔をあからめながら、しぶしぶうけとった。

男はうれしくてたまらないようすだ。

四人は、イタリア料理店で食事をした。男は元気いっぱい、をよそおっている。喰らいかたもすごい勢いだ。奈々は礼儀ただしくしずかにたべ、暁子は子供のころからの習慣なのだがいかにもまずそうにゆっくりたべ、都だけが全員の表情をうかがいながら、おそるおそるたべている。

少女たちは先にその店を出て、入口付近で立って待っていた。男はカネをはらっている。

「都、あなた、門限十時でしょ。そろそろかえりなさい」

奈々がそっけなく命令した。

「でもわるいわ。あんなひとをあなたたちにまかせるのは」

「いいの、いいの、あたしたちにだって、計算があるんだから」

奈々はタクシーをとめ、のりこんだ都に一万円札を無理ににぎらせた。男からさっきもらったうちの一枚だ。

「あの子は人間だわ」

暁子が走りさるクルマをながめながら、つぶやいた。

「そうね」

「そろそろ、わたしたちから、解放してあげなくちゃ、いけないいんじゃないの？」

「それは都が決めることよ」

「いやあ、待たせたね。レジの野郎が、計算まちがいして、とんでもない金額をいうんだ。これは仕かけられたワナだとおもって、ぼくは『店長を呼べ』っていったんだ。そしたら、『すいません、カンちがいしたんです。ワインは小びん一本だけでしたね』だと。腹がたつよ。連中、せびりとれるものは最後までごまかすつもりなんだろ。それでぼくは『こういう店員教育をしてるのがいかん』って、威厳をもっていったわけだ。あの若造、あおくなってふるえていたぞ。まったく油断もスキもない」

この男はどんな場所でも、いばりちらしたいのだ。疲れたレジ係がワインの本数をまちがえたぐらい、なんだというのだ。たかだか千円ぐらいのものじゃないか。

ふたりの少女は嫌悪を感じてだまっていた。

「都ちゃんは？」

「おうちへかえったわ」

奈々がつめたい声をだした。

「いやー、残念だが、まあ、それもしかたがない。あの子はなんか、カタくてね。はなしをするときも、気をつかわなきゃいかん。その点、きみたちはものわかりがいい」

それも幻想よ、とはいわなかった。ただ、奈々と暁子は、ますますこの男を軽蔑しただけだ。かなり積極的に。

「このちかくに、ぼくがやらせてる店があるんだ。そこでのまないか？　ボラれる心配はないしさ。いろいろつごうがいいから」

その店は地下二階にあった。バーテンは、「社長」といい、かるくあたまをさげた。イカゲソを焼いていた女の子も、目だけであいさつした。サラリーマンふうの先客が三人いた。

「ぼくはワイン党だ。きみたち、なにをのむ？」

「ジン・フィーズ」

カマトトぶって、暁子が注文した。

「奈々ちゃんは？　スクリュー・ドライバーなんてどう？　ほとんどオレンジ・ジュースとかわらないよ」

なんとまあ、お古い口説き戦術だ。だが、暁子と奈々は、奈々の部屋で二回、外のコンパで一回、自分たちの酒量をたしかめている。「それでいいわ」と奈々はこたえた。ウォッカがはいっていることなど、先刻ご承知だ。そしてふたりとも酒にはつよい。奈々は薬物にもつよくて、登校してきた朝「きのう、ブロバリン四十錠のんだんだけど、とちゅうで本をよみだしたもんで、まるっきりねむれなくてこまっちゃった。いまごろくたびれてきたのよ。保健室へいくわ」という調子である。

午前中はねむっていて、お弁当をたべ、午後の授業だけに出る。ノートは暁子が貸してやる。

中年男は、少女たちと本格的に酒をのむのははじめてなので、かなり気負っている。自分はワインをなめるだけなのに、ふたりにはさかんにすすめる。

暁子も奈々もゆっくりしたペースでのんだ。暁子は二杯めからはうすい水割りにきりかえ、それを三十分もかけてのむ。母親は仕事がらもあるが、かなりの量をのむ女で、遺伝的にアルコール許容量が大きい。奈々は中学校のときから酒とタバコとクスリをやっていた、と暁子に告白したことがあった。

ボロなわりには値段がたかいせいなのか、地理的条件がよくないのか、この酒場はあまりはやっていないようだ。サラリーマンふうがかえったあとは男がひとりと、わかい男女のペアがきただけだ。

「いやあ、ここはぼくのホーム・バーとおもってるからねえ。もうけはかんがえてないんだよ。すいてるとこで、だれにもじゃまされずにのむなんて気分爽快だよ。王侯になったみたいだね」

中年男は、最後までからいばりをつづけている。十一時半に女の子はかえった。暁子はそのあと、ほろ酔いの演技をした。奈々はかなり酔ったようなふりをしているが、これもウソにちがいない。

「きみ、きょうはもうかえって、いいよ。ぼくが鍵をしめとくから」

男はバーテンにはなしかけた。

「おたのしみですね」

バーテンはかすかにわらい、エプロンをはずした。中年男がカウンターのなかにはいった。

「もうちょっとのみなさいよ。介抱してあげるから」

でてくる水割りは濃くなってきた。暁子はその半分を床にこぼし、水でうすめてのんだ。奈々もおなじようなことをしている。

十二時をまわっただろう。

「もうだめ」

暁子は、カウンターにつっぷした。奈々は脚をもつれさせて、トイレにはいった。

「きみたち、これからうちへかえるのはたいへんだろう。どうだね。ちかくに知ってる旅館があるけど、そこへ泊まったら。ぼくは、おくりとどけたら、すぐかえるからさ」

「それもいいわねえ」

もつれたふりの舌で、奈々は同意した。

「じゃあ、いこうか……そのまえに、ちょっと待ってくれ」

「暁子、だいじょうぶ？」

男がトイレにはいると、奈々が小声ではっきりとたずねた。

「酔ってるのは、あの男のほうよ」

暁子もひくい声でこたえた。

「旅館にいってからにする？　そのほうが、いろいろと言訳できるわよ。強姦されそうになったので……とか」

「めんどうだわ。とにかく、わたしは地球人に血をながさせて、自分がほかの星からやってきた人間だってことをしめさなければならない」

「わかった」

「あなた、あの男のワインのなかに、粉末の睡眠薬いれたでしょ。アドルムっていうの？　わたしはみてたけど、あいつまるっきり気がつかずにのんでたわね。酒の味も知らないんだわ。ワインなんて、最近のみはじめたみたいね」

「知ってる薬剤師がいるのよ。病院から、盗んできてもらったの。わりとつよいやつよ」

男はトイレからでてきて、ヘタヘタとじゅうたんにすわりこんだ。

「いや、こんなはずじゃないんだが……お嬢さんがたとのむと、つい気分がよくなって、ピッチがすすんだようだ。なあに、旅館で三十分も休めば平気だよ。夜はながいことだし」

暁子は、男の背後で、バッグから出刃包丁をだした。すぐさま、心臓めがけて突き刺す。骨がじゃまだ。男はびっくりしたような声をあげた。激しく抜いて、今度は力いっぱい頸動脈をねらう。血は天井まで吹きあがった。左右とも切る。男はただただ、苦しがっているだけだ。クスリがきいているのだろう。抵抗できない。

「もういいかな?」

奈々が平静にいってのけた。あまりのショックにかえっておちついているようにみえるのだろうか、と暁子はおもう。

「いいでしょう」

「でも、あなたの服、血だらけよ。顔や手も」

暁子はカウンターのなかにはいり、顔と手をあらった。返り血をあびた服をぬぎ、用意してきたワンピースにきがえる。

「声、きこえなかったとおもうわ。このうえの地下一階は休業中だし」

血だらけの服と包丁をバッグにつめた。

階段をあがっていくとちゅう、奈々はちいさな声で約束した。

「あたし、決してしゃべらないからね。でも、あのバーテンがなにかいうかもしれない」

「べつにいいのよ。アシがついたって。それより、都がいなくてよかったわ。あの子はこういう負担に耐えられないから」

ふたりは路上で、いつものようにわかれた。

部屋へかえると、暁子はふろにはいった。血だらけの服はゴミ袋のみえないところにおしこめる。包丁は何回もあらい、新聞紙で何重にもくるんで、これまたゴミ入れにいれる。六階から下へさがるあいだ、エレベーターには、だれも乗ってこなかった。

暁子は興奮していたので、奈々にもらったリスロンを十五錠のんだ。

やった。とうとうやったのだ。歓喜がわきあがってくる。彼女はパジャマをきて、戸だなからウォッカをだした。ストレートでのむ。

カーテンを全部あけると、星空がみえた。暁子はひざまずいた。わたしの故郷の星から契約にしたがってやってくるひとよ。わたしは使命をはたしました。はやくむかえにきてください。わたしがどこへいこうと、わたしであるということがわかるように、誓いの十字を彫りましょう。

暁子は、ねまきの胸もとをはだけた。のどから胸にかけて、カミソリでまっすぐ切りおろす。うすく。横もおなじように。しかし、これでは、すぐに傷口がふさがってしまうだろう。まっすぐな線のうえにちいさな×印を連続してつける。ようやく痛みが感じられてきた。しかしやめるわけにはいかないのだ。リスロンは、はじめてのむクスリだが「持続性があって、ぐっすりねむれるのよ」と奈々がいった。また十錠のんでしまう。それから作業をつづける。痛い。しかし、このぐらい、がまんしなければ。ようやく作業をおえて、彼女はつかれきった。母親にみつからないように、大々的に包帯をした。血がついた衣服はベッドの下におしこんだ。べつのをとりだしてきる。

ウォッカをのみながら、タバコをすう。かくしてあった灰皿は金属製だ。不意になにかを燃やしたくなる。それも白いものでなければならない。暁子は台所へいって、紙ナプキンをみつける。それを灰皿で燃やす。けむりの向こうの壁から、故郷の星のあのひとのおもかげがあらわれ、暁子にわらいかけた。もう痛みもない。彼女は幸福感にひたされ、ふたたびひざまずいた。

ねむったのは朝の七時で、目ざめるともう夕方だった。

「暁子、ずる休みしたね。あたしがうちへかえってきたとき、あんたは学校へいってるとおもったのに」

母親がベッドの彼女に声をかけてきた。

「かぜひいてくるしくて、ねむれなかったのよ。あした土曜日だし、月曜に学校いくわ」

「医者にいかなくてもいいの？」

「のどだけで、熱なんか全然ないから、それにかぜにきく薬なんて、ないんだって。寝てるのがいちばんいいの」

七時すぎに、奈々から電話がかかってきた。

「おかあさん、でかけた？」とまずたしかめたあと「あんた、だいじょうぶ？」

「元気いっぱいよ。それよりあなたは？」

「あたしって、どうしてこうまで無感動なのかしら。自分でもおどろいてるわ。あるいは、この無感覚さがうれしかったりしてね。でも、もしかしたら、あんなこと、たいしたことじゃなかったのかもね。あたしのことで不良グループどうしが争って、決闘したときのほうが呆然としたわ。そのときは重傷者二名をだしたんだけど。原因は、あたしの浮気よ。あたし、あれ以来、たいしておどろかない女になっちゃったの。そういうことにたいして、痛みもなにも感じなくなっちゃったの。これは百年もむかしの伝説的事件だけどさ。あたしがいってあげたほうがいいかな？」

「ううん、いまはとてもしあわせなの。生まれてはじめてぐらいの最高の幸福にくらくらしてるわ。もしあなたの力が必要になったときは……きてくれるわね。それから警察がくるかもしれないけど、あなたはこういうのよ『あんまり突然なので、びっくりしちゃって、とめることができなかった。うちへかえったら、こわくて警察へいくこともできなかった。再三自首をすすめたんですけど』って。いい？　自分はまったく関係ないってことを主張するのよ」

「でも……」

「いわれたとおりにして。おねがい。そうじゃないと、あの行為の純粋性がうしなわれるから」

「……わかったわ」

いつもの平静な声だが、いくぶんしめっぽさがあった。ながくつきあっていないとわからない微妙なものだ。

電話をきると、暁子は包帯をとった。血はかたまってこびりついている。だがこのくらい切りきざんでおけば、はっきりとしるしがのこるだろう。暁子は満足して胸に手をあてた。

精神病院は、はじめてではない。佐知子は自分がすきな白い可憐な花にカスミソウをまぜたちいさな花たばをもって、玄関をはいった。この花の名前は知らない。十字型の花弁で、結婚式のときに花嫁がもつのではないか、と想像できる。

暁子は月曜日に、学校で逮捕された。バーテンの証言が有力な決め手となった。奈々は殺人現場をみたことはみとめた。彼女は感情のない声で、暁子にいわれたとおりの証言をした。なまじ仏心をださないほうがいいだろう、とおもったからだ。奈々があまりに平静なので刑事たちは「頭がどうかしてるんじゃないか」とささやきあったくらいだ。暁子を校長室へよびだすと、彼女はすなおに犯行をみとめた。だが、頭の狂いぐあいはこの娘のほうがよっぽど進行している。精神鑑定の結果、分裂症というこたえがでた。それで（未成年のことでもあるし）強制入院させられた。はじめ、母親が面会にいった。一回だけでこりて、店でつかっている佐知子に一ヵ月の小遣い一万円と交通費をもたせて、娘のところへいってくれ、とたのんだのだ。

佐知子は以前から、精神病院というところに興味があった。夫が入院したこともあるし、彼女にとってはそこは忌むべき場所ではない。

看護婦にたずねると「閉鎖病棟へいって、お小遣いはそこの看護人さんにあずけてください。ええ、これで売店でなにか買ったり、電話も看護人室からかけられますから、その電話代にしたりするんですよ」といわれた。

この病院は市街地をかなりはなれた丘のうえにある。囲いはない。病院の前の道や林のところを、軽症患者が何人かつれだってあるいていた。佐知子が十七歳のとき伯母が発狂したが、いれられた病院はひどいものだった。どこにも鉄格子がはまっていた。面会にいくと、患者と面会人を一室にとじこめ、看護婦が外からカギをかけるのだ。

長い廊下をまがって、閉鎖病棟にいく。

「あのひとは殺人犯でしかも自殺のおそれがあるということで、はじめの十五日はひとり部屋でした。でも、いまは六人部屋にうつってます。お待ちください。よんできますから」

クーラーがきいている。佐知子はタバコをだして、火をつけた。ガラスドアの外は夏草がおいしげった庭ともいえない広い庭で、ところどころにコスモスが群生している。

ドアのカギをあける音が二度して、暁子があらわれた。以前二、三回みたときとおなじ印象だ。ものしずかで内向的で。だが、いまはおちつきのないひかりが、その目にやどっている。ながいあいだ監禁されたせいだろうか?

「タバコちょうだい」

暁子はいった。「なかでは、すわせてくれないの。ううん、未成年だからっていうわけじゃなくて、火で目でもつぶしたり、ほかの患者に押しつけたりするのを警戒してるみたいよ」

暁子はせわしくタバコをすいはじめた。このガラスドアをおして外に出れば、囲いもないことだし、脱走は可能だ。

「居ごこちはどう?」

「まあ、わりとね。もうすぐ開放病棟へうつれるわ。自分や他人に危害をあたえないってことがわかれば。わたしは、あれ以上のことをするつもりはないの。あの男を殺したのは指令で、それはわたしの使命だったの。この傷も(と彼女は、のどから胸にかけての大きな十字形をさした)やらなければならないことだったの。でも、もう全部おわったんだから、わたしは猫を殺すことだって、できないわ。あとは、ただ待つだけよ」

「なにを?」

「あのひとが円盤にのってくるのを、よ。とおいとおい、わたしたちの故郷からくるの。わたしをむかえに。もう何千年もまえに出発したんだわ。でも、彼、わたしがここにいること、わかるかしら。わかるわよね。ときどき、彼は壁のなかからあらわれて、やさしく声をかけてくれるもの」

佐知子は、おどろきのあまり、タバコを床におとした。夫が「地球の外から通信がくる」といっていたあの晩をおもいだしたからだ。おそらくこれは、決して口にだしてはいけないことだったのだろう。だが、何事もかくすことのできない佐知子は、詳細に説明した。「お医者さんには決していわないって、約束してね」とつけくわえて。

「まあ！」

暁子の目は、感動でうるんで、大きくみえた。

「そのとおりよ。まったくそのとおりだわ。でも、ほかの星からきた人間や、テレパシーの能力があるひとは、この地球じゃ、気ちがいあつかいされるのよね。わたしはもうすぐ故郷の星へかえるから、かまわないけど」

「あなたは、ほんとうに信じているの？　かならずむかえにくると」

「当然よ。確信してるわ。だって、そのために生まれたんだから」

「むかえにくるひとが、事故のために死んだりする可能性だってあるわ」

「ああ、そうね。彼は何千年という時間を、冷凍睡眠で生きて、まだみぬ地球の夢をみながらやってくるのよ。その夢は、ときどきわたしのところへとどくわ。だから、彼は生きている。ねえ、わたしはやっぱり頭がおかしいのかしら」

「そんなことはないわ」なぐさめ半分に、佐知子はいった。「ちょっとかわってるだけよ。そして世の中をみれば、ちょっとかわってるひとって、わりといるのよ。うちの亭主とかわたしとか」

「奈々は、ものすごくヘンよ。彼女はわたしとちがって、幻覚なんかみないわ。やさしい、いい子なんだけど、ゾーッとするほどつめたいとこがあるの。人間が人間としてみえないっていうの。いくらふかくつきあって、いくら相手のことをすきでも、突然、まったく見知らぬ生物にみえちゃうんだって。いつかわたしに『あんたの顔をみられない。みるのがこわい』っていって、わざと会わないときがあったわ。そのときのわたしって、彼女からみると目も鼻も口もバラバラで、なにかしゃべると口だけが生きてうごいてるようにみえたんだって。だからあの子は、学校をよくやすむわ。彼女は回帰したいんだって。でも、彼女はわたしみたいな異邦人じゃなくて、人間なのよね。ぜいたくだわ。ほんとのひとりぼっちなんて知らないんだから」

「奈々って、あの現場にいたひと?……」

「そうよ。わたし、彼女に手紙かいたんだけど、医者や看護婦にみられるのいやだから、とどけてくれる? お店からちかいのよ。ポストにいれてもらってもいいけど、なんだかぬすまれるような気がして」

「いいわよ。でも、よく紙とペン、かしてくれたわね」

「看護人室で絵をかかせてってたのんで、そのときかいたの」

暁子はサマーセーターの胸に手をつっこんで、手紙をだした。封筒はなく、むきだしのままだ。折りたたんだおもて側に、奈々の住所がかいてある。

「奈々、どうしてるかしら。あいたいわ。でもなんだか、このごろ彼女が他人におもえてきたの。わたしは、いろんなことをいっしょうけんめいかんがえて、あたらしい事実を知ったんだけど、彼女は他人の頭の中なんかに興味はないし、自分にだって関心ないいんだから。死んだまま、生きてるのとおんなじよ。ああ、それからわたし『彼』にも手紙かいたんだけど、どうやってとどけたらいいかわからないの。燃やすのがいちばんいいとおもうんだけど、いまは閉鎖病棟にいるから、だめね」

暁子は目をふせた。

「それに、紙ナプキンにかかなくちゃいけないいんだわ。あのひとは白い紙ナプキンが、いちばんすきなんだから。ねえ、8という数字は、永遠だとおもわない?……」

病院をでると、かなりひどくつかれていた。そのまま店へいくついでに、奈々のところへ寄る。手紙に目を走らせた彼女は「わかった。すててちょうだい。あなた、よんでいいわよ」といった。

この子もずいぶんおかしな子だ、とおもいながら六時半に店へいって、よんだ。

あなたがむかし首をつって、
あなたのおかしい脚がつれて
あなたの犯した罪もつれた……

こんなぐあいに延々とつづくのだ。アナグラムの一変形だろう。佐知子はそれを燃した。

九月のなかばに、精神病院のごくちかくの林に人工衛星がおちた。あたりは炎上した。焼けあとから、性別不明の焼死体がみつかった。暁子は開放病棟にうつされ、その午後からゆくえ知れずだった。死体は暁子と判断された。

奈々は家出して、ヨコスカの不良グループのアタマの女となった。彼女の冷酷な雰囲気は仲間からおそれられた。

佐知子は、バーの仕事をやめて、昼間の勤めにきりかえた。夫の就職先がきまったからだ。そして彼は、テレパシーとか予知について、しだいにしゃべらなくなった。

夜のピクニック

彼が机に向かっていると、父親がはいってきた。

「どうだ、すこしはすすんでいるか?」

父親は、紙巻きタバコをくわえて、ぼんやり立っている。

「うん……ねえ、それは、火をつけてすうもんじゃないの?」

「あっ、そうだった。うっかりして、いつもわすれちゃうんだ」

父親は、ポケットから、ライターをだした。タバコの先端を燃やして、その煙をすいこむ。

「地球人らしさをわすれちゃいけない、っていつもいってるの、おとうさんじゃない」

「そのとおりだ。すまなかった……わたしが、みんなのお手本にならなきゃいけないのだ。われわれ地球人は、いつどこにいようと、生活の形というものを忠実にまもらなければいかん。家族の役割というものを。ことに、こうやって、地球をはなれて孤立している場合は」

「そうだね。そうかもしれないね」

彼は、父親の服装を点検した。

父親は、黒のダブルのスーツに、ワイシャツも黒、ネクタイは白、というスタイルをしている。えりには赤いバラをさし、帽子をかぶり、ごつい指輪をはめていた。

「いいだろう？　じつにキマッている。これは、さっき見たビデオカセットにでていたんだ。その男は、音楽にあわせて踊っていたが」

「あれは、ぼくも見たよ。だとすると、そのかっこうは、ダンス用じゃないかな？」

彼は息子として、出すぎないようにいったつもりだ。

「そんなことはない」

父親は胸をはった。「べつのビデオでは、これでクルマに乗ったり、床屋で爪をみがかせたりしていたからな。それに、周囲の者が、ていねいな態度をしていた。ということは、これこそ、父親にふさわしいかっこうではないか」

「それにしても、きのうの倍くらい、ふとったんじゃない？」

「このくらいからだが大きくないと、似あわないらしいんだ」

あまり自信がないらしく、父親は小声でいった。彼は追及するのをやめて、本をとじた。

「解読はだいぶすすんでるよ。これ、なんていうのか……おもしろいんだよ」

「つまらなくてもいいが……ほんとのことが書いてあるんだろうな。本っていうのは、どうやら……うそだけでできてるのと、うそとほんとが半々なのと、ほんとのことだけ書いてあるのとがあって、まぎらわしい」

「そうなんだよ。どうしてだろう？　わざわざ字をならべるのに、うそのことをつなげてもなんの役にもたたないのに」

ふたりはかんがえこんだ。そのへんが、いつもふしぎなのだ。ことに息子はうたがいだしていた。ビデオには真実がうつっている、と全員が信じきっていたが、あれにもうそがはいっていたら、どうしよう。

「われわれ人類ってのは、複雑なものなんだよ」

父親は、ため息をついた。気休めにしかならないが、そういうと、なんとなくカッコいいからだ。

「でも、この本は、ほんとだとおもうよ。だって、西暦がいちいち書きこまれてるもん」

「そうか！　そういうかんがえかたもあったな、おまえは頭がいいぞ。さすが、わたしの息子だ」

父親の顔が、あかるくなった。「うん、それには気がつかなかったよ。だいたい、どの時代かわからない、ってのが多いからな」

「十九世紀のアメリカなんだよ。地図にはちゃんとのってるしさ。南北戦争のことも書いてある。女が主人公なんだけどね」

「最後まで解読すれば、人類が宇宙へ進出した理由について書いてあるだろうか?」

「わかんないけど、やってみるよ。この女は、いま失恋したとこなんだよ、あと、こんなに量があるから、宇宙船にのるとこもでてくるかもしれない。だって、ふられるとだいたい、どっかへ行くだろう?」

優秀な息子は、確信をこめていった。

「そうかな」

父親は首をかしげた。

「旅にでたりするのさ。歌でも、そういうのが多いじゃないか」

「まあな」

「ぼくも失恋してみようかな」

「相手が必要らしいが……」

「妹がいるじゃないか」

「そうだな。じゃ、やってみるか?」

「そのまえに、ダンスパーティーとか、デートとかをしなくちゃならないらしいんだ」

「大がかりなのは無理だ。地球人は全部で四人だけなんだから……まさか、丘の向こうの怪物どもをよぶわけにもいかない」

「でも、あいつら、ぼくたちそっくりに変身することだって、できるじゃない？　物質再生機できれいな服、いっぱいつくって、着せたらいいのに」

「そういうことには興味がないんだ、あいつらは。文化的な生活がわかってないんだから。おとなしくてわれわれに害をおよぼしたりはしないが、しょせん種族がちがうんだ。なにをかんがえてるのか、まるでわからん。この自動都市に住んだほうがたのしいのに、あえて野蛮な暮らしをしている。もっとも、そのほうがつごうがいいのかもしれないが」

頭にカーラーをつけた母親が、ドアから首をつきだした。

「おとうさん、いってやってくださいよ」

手にミルクとオレンジをもって、バスローブを着ている。

「どうした？」

「あの子がねえ、戸棚にかくれちゃったんです」

「なんだ？　またおかしなことを思いついたのか？」

「本がいけないんですよ。娘は母親を憎み、父親を愛する、とか書いてあったんですって。まったく、こまっちゃうわ」

母親は頭をふった。

「なんだ？　それは？」

父親は、わけがわからない。

「心理学とかいうのでしょう？　あれは、うそばかり書いてあるんだよ」

息子はしたり顔になった。「よし、ぼくが、説得してみよう」

「わたしのほうがいいんじゃないかな？　家長として……」

「いや、でも、おとうさんは、本にはくわしくないでしょう？」

息子は立ちあがった。


「いつまで、こんなことしてるんです？　はやくでてらっしゃい！」

母親は、ドアをたたいた。

「いやーよ。あたし、反抗期なんだもん」

クッションにあごをうずめているような、くぐもった声が答えた。

「おまえの解釈は、まちがってるぞ」

彼は妹に声をかけた。

「どうして？　あたしは思春期なのよ」

「ピクニックにいく約束でしょ？　でてらっしゃい！」

母親はかん高い声をあげた。

「おかあさんは、ちょっとだまってて」

彼は母親をおしのけた。力がつよすぎたので、彼女は前へつんのめって、床にたたきつけられた。ひたいをうって、彼女はしばらくたおれていた。母親をそのままにして、彼は腕をくんだ。

「おまえ、本でエレクトラ・コンプレックスとかいうのを、読んだんだろう？」

「そうよ」

妹は戸棚のなかから答えた。

「だけどね、逆エディプス・コンプレックスってのもあるんだぜ」

「なに、それ？」

妹の声はちいさい。

「つまり、同性の親に執着する、というやつだ」

「……それじゃ、反対じゃない？」

「そうだよ。心理学ってのはね、ひとつのケースがあると、それとまるっきり対をなしてるケースがあったりするんだよ。全部が全部そうとはかぎらないけどさ」

「……そうなの？」

妹の自信はくずれさってきたらしい。

「本の研究では、ぼくがいちばんくわしいんだぜ」

返事がない。

床にたおれていた母親は、のろのろと起きあがった。しばらくひたいをこすっている。異変はないようだ。彼女は物質再生機のほうへいった。

「それにさ、戸棚へずっとはいったままなんて、おもしろくないだろ?」

彼は戦術をかえた。

「……でも……」

「おまえは思春期だと決めてるけど、あてになんないぜ。ここは地球と公転周期がちがうんだから。くわしく計算したわけじゃないけど、ちがうらしいよ」

彼はわざとのんびりした調子をだした。

「おまえ、いくつだっけ? ここの年齢で」

「えーと、たぶん……十七だとおもうけど」

妹はまじめに答えた。確信はないようだ。

「よくわかんないのよ。あたしがつかってるカレンダー、ときどき故障するんだもの」

「そうだよな。一週間ぐらいだったら、おぼえてるけどさ。おれはさ、人類が時間を発明したのはいつごろだったのか、ってことも研究してるんだぜ。まだはっきりしないけど、時間ってのは、わりと大事らしいんだ」

彼は椅子をひきよせてすわった。父親のまねをして、タバコをすう。灰を床におとすと、自動クリーナーが走ってきた。

「だから、あたし、こうやってるんじゃない」

戸棚のなかで身動きしながら、妹がいった。

「でもさあ、時間って、あてにならないとおもわない？　きょうの午後三時のあとに、四日まえの朝の七時がきてたりするんだよ」

母親が、首をのばして息子をみた。彼女は、物質再生機から、竹のバスケットをとりだしたところだ。「なに、いってるの？　時間はきちんとながれてるのよ。規則正しい生活をしなきゃ、いけません。はやく、戸棚からだしてやってよ。もってく物が全部そろったら、でかけるんだから。これは、前から決まってたスケジュールよ」

「わかったよ」

彼はふりむいて、眉にしわをよせた。ときには、親をうるさがってもいいのだ。ドラマでも、そういう場面がある。

「時間のはなしは、あとでしよう。おまえ、十七だっていうけど、それだと、思春期にはおそいんだよ。知ってた？」

「……じゃあ、どうすればいいの？」

妹はしぶしぶとたずねる。

「そうだなあ。ハイティーンの女の子は、やたら髪をあらうんだよ。鏡みて、いろんな服きてみて、ときどきデートしたりするんだ」

「そのほうがたのしい？」

「うん、ゼッタイたのしいとおもうよ」

「わかったわ」

内側からドアがあいた。妹はクッションをかかえて、戸棚の上の段にすわりこんでいた。身軽に床にとびおりる。

「あーあ、疲れちゃったわ。あたし、六時間も、このなかにいたのよ。おかあさん、なかなか気がつかないんだから」

彼女は両腕をあげて、のびをした。

「みんな、忙しいからさ」

彼はなぐさめた。

「あたしが、せっかく親に反抗してるのにさ」

彼女は、うってかわった明かるい声をだした。

母親は、材料を両手いっぱいにかかえて、台所へいった。

「彼女、なにしてるの?」

「お弁当をつくるのさ。それに、親のことを、彼女だなんて、あんまりいわないよ」

「たまにはいいでしょう?」

「いいけど」

そのへんは、彼にもわからない。

「あたし、したくをするわね」

妹は、物質再生機のまえに立った。ボタンをいくつか押す。

——植物性脂肪がたりません。

機械が答えた。

母親が出したマーガリンが、そばのかごにいれてあった。妹は、それをナイフでこそげとって、ほうりこんだ。ランプが明滅する。やがてかすかな音とともに、口紅が二本でてきた。

「なあ、おれの分もやってくれる?」

「いいわよ」

「じゃあね……くしと、ポマード。それとも、ディップにしようかな」

「頭の形、かえるの?」

「うん。逆立てるか、リーゼントにするか、まよってるんだ」

彼は、いままで見た青春映画のあれこれをおもいうかべた。ファッション・カードにもさまざまな様式がのっている。映画では、グラフィティ・ルックが多いようだが。

「ポマードにしよう」

「何印?」

妹がききかえした。そこまではかんがえていなかった。

「そこまで指定したほうがいいかな?」

妹は細部に凝るたちなのだ。

「ディテイルがしっかりしてないとね。様式美にこだわるなら」

「どんなのがある? おれ、そういうことには、くわしくないんだ」

「整髪料だとねえ……ヤナギヤとか、フィオルッチとかランバンとか」

妹は得意そうに答えた。

「そんなにあるの?」

「ネッスルとか、味の素とかキューピー印とか」

「よさそうなのにしてよ」

妹は機械を操作して、ポマードをだした。ふたにキューピーの絵がついている。

「生活って、こまかいとこが大事なのよ」

「そうらしいね」

「その点、あたしはおにいちゃんより、しっかりしてるわ。女性雑誌をよんでるもん。日曜のブランチなんて、おかあさんよりくわしいのよ。女の子はフルーツとヨーグルトを食べるべきなのよ。それにチーズケーキ」

「おまえ、すっかり女の子らしくなったな」

彼は本心から感嘆した。「まえは、えーと、だいぶわすれちゃったけど、男の子だったんじゃない？」

「そうみたいね。かすかな記憶によると。おとうさんとおかあさんが、子供は男と女とひとりずつのほうが変化があっていい、って決めたのよ。着るものやヘアスタイルがちがうから、あたしとしては、けっこうたいへんなのよ。男の子だったら、おにいちゃんのまねしてればいいけど」

彼は、妹が男の子だったころのことをおもいだした。半ズボンをはいて、ふたりで追っかけっこをしたものだ。母親が、女性的なからだをしている子は、女として育てるのだ、と主張した。弟は妹になった。彼女自身としては、どっちでもよかったみたいだ。女の子のかっこうをしてしばらくたつと、妹は以前よりやわらかなからだつきになった。本人も努力しているのだ。

「おかあさん、まだかなあ」

ほかにすることがないので、彼はぶらぶらとそこいらをあるきまわった。

「身じたくしてるんじゃない？」

「でも、おそいよ」

「おにいちゃん、知らないの？　女って、出かけるまえに時間がかかるものなのよ」

「服をきがえて、髪をとかして、ちょっとお化粧するだけだろ？」

「そうだけど……」

「ほかになにするの？」

「わかんないけど……母親って、やることがいっぱいあるんじゃないかしら？」

家族というものは、それぞれが自分の役割りをしっかり演じていればいいのだ。彼は部屋にもどった。ベッドに横になって、テープをきく。そのうち、ねむくなった。


出かけるまでに、母親は二日半ばかり、かかった。

四人はバスケットや水筒をもって、家をでた。晴れた、すばらしい夜だった。

「クルマじゃないの？」

「歩いていくものらしいよ」

彼らは、高層ビルのあいだを、ゆっくりあるいていった。

この都市には、彼ら以外の住人はいないようだ。ガラスはひめやかに蒼くひかっている。建物の内部は暗く、しずまりかえっている。どこかで、ブーンというようなかすかな音がしている。なにかのスイッチが、自動的にはいったり切れたりしているのだろう。列をなした水銀灯は、カーブに沿ってレースのように見える。

「このへんは見はらしがわるい」

父親は淡い声でいった。

「ピクニックって、景色のいいとこにいくんでしょう？　おにいちゃん？」

「野原とか丘とかへいくんだよ。大きな木のあるところへ」

「でも、街をでると、あぶないんじゃない？」

母親が気づかわしそうにふりかえった。

彼らのうち、だれひとりとして、都市の外へいった記憶はない。にもかかわらず、郊外がどんなようすかは、共通のイメージとしてもっていた。

都市は唐突にとぎれる。しだいにビルがすくなくなるのではなく、どこからか切りとってこの惑星に置かれたように。彼らとおなじく、孤立している印象がつよい。いったい、いつごろこの都会ができたのかも、彼らは知らない。地球からの入植者が街をつくり、なにかの理由で彼らは立ち去ったかほとんど死に絶えたかして、わずかに生きのこった者たちの子孫が自分たちなのだ、と父親は説明するが。

　都市の外には、丘や野原がひろがり、青黒い怪物たちがいる。頭と背中に太い毛がはえた、脚のみじかい生き物だ。彼らは直立して、ドタドタと走る。前肢は太く、黒く大きな爪がはえている。怪物たちは、地球人のこの家族に無関心なようだ。

　四人とも、一度も見たことがないのに、怪物の姿や習性は知っている。なぜだかわからない。怪物は木の実を常食としていて、ごくおとなしい。おとなしいんじゃなくて、怠惰なんだ、といつか父親はいっていた。昼寝しているかふざけっこしているか、どっちかなんだからな。だから、あいつらは人類じゃないのだ。人間というものは、われわれのように、きちんと生活するものなのだ。

「おとうさん、朝刊をよみました？」

　母親がたずねた。

「うむ……」

　父親は、おもおもしく答えた。世間なみに新聞をとらなきゃいけない、といいだしたのは彼なのだ。朝、新聞をよまない人間は、テレビの受信料をはらわないやつとおなじように、まともではない。だけどまあ、テレビにはビデオをかけるだけだから、料金はいいだろう。放送局がないんだから。しかし、新聞はいけない。新聞社がないからといってとらない、などという道にはずれたことはできない。

父親は、雑誌や古い新聞の記事をデータにして、新聞をつくった。夜寝るまえには、でたらめなボタンをおす。内容をいちいち検討すると、新鮮なおどろきがないからだ。移送機にタイマーをセットしておくと、朝の五時には、郵便受けにおちるようになる。

「なにか、ありまして？」

母親は、ききたくもないニュースをききたいふりをした。

「小麦の値段が、あがったそうだ」

「また？　今月は六回めじゃありませんか」

彼女はいいかげんなことをいった。どうせ、記事そのものがいいかげんなのだ。それでも態度さえきちんとしていればいい。

「いや、しばらくすえおきだったんだよ」

父親は気むずかしげにいった。

「わたしはかんがえたんだがね……」

前をいく息子と娘を見ながら、父親は腕をくんだ。「そろそろ家を建てようかとおもう」

「どうして？　いま住んでるとこで、じゅうぶんでしょ？」

「そういうわけには、いかないのだ。あそこには、ただ住みついただけだろう？　それにずいぶん年月がたってる。いつまでも便利で新しいからって、そのことにあまえてはいられない。苦労するからこそ、人間というものは成長するんだ。家を建てるのは、男子一生の仕事だからね」

「でも、どこに?」

母親はいちおうたずねてみた。バカバカしいような気もしたが、ここは調子をあわせなければならない。

「どこって……いま、適当な土地をさがしてるところだよ」

都市の外に住むなんて、かんがえられない。それに、父親は、家の建て方なんか、まるで知らないのだ。

「わたしは、決してどうでもいいような生き方はしないつもりだよ」

とりつくろうために、父親はことばをたした。「後指をさされるようなまねだけは、したくない。人間として恥ずかしい生き方をしたら、子供たちがそれをまねするだろう。子供というのは、親のわるいとこしか見ないものだ。道にはずれたことをすこしでもすると、すぐにその……ほら、なんといったっけ?」

「非行ですか?」

父親はじれったそうに手をふった。

「そう、そう。すぐ、それに走る。どういうわけか、子供ってのは、非行したがるんだよ」

とはいうものの、具体的にどういうことをさすのか、彼にはわからなかった。新聞にのるようなことだとおもうが、その新聞は彼がつくっているのだ。

「オートバイをほしがったりするんです」

「あ、そうだ。おかあさんは、じつにいいことをいう。それなんだ。オートバイとか、クルマとか」

「でも、あの子は、両方とも持ってますよ。自分で物質再生機をつかって」

「うーむ、よくない傾向だ。あとでそれとなく注意しよう。しつけは、はじめがかんじんなのだ」

ひとかげのない道路を、彼らはあるいていった。

「どこまでいくのかな」

息子は、ポケットからくしをだして、髪をとかした。後頭部は、ダックテイルにする。髪のあわせめが、たてに一直線になるようにととのえるのだ。ふと気がついて、前髪をひとたばひたいにたらす。気がきいてるなあ、と彼はおもった。おれって、シブイじゃん！

妹は、ぞろぞろしたイヴニングドレスをきている。夜外出するからイヴニングなのだ、ということを、彼女は知っている。ディスコ・フォーマルにしようかとも迷ったが、ディスコテックへいくわけではないので、その案は却下した。いっぺんでいいから、ディスコへいきたい、と彼女はおもっている。だが、父親がゆるしてくれない。あんなとこは不良の巣なのだ、という。おかげで、彼女は、どこにあるかわからない若者たちのたまり場へいかなくてすむ。

「ねえ、街の外までいくわけではないでしょう?」

「と、おもうけどね」

彼はボタンダウンシャツのえりを、無意味にひっぱった。シャツのすそは、外へだしたほうがいいのかもしれない。

「ちかくに海があるといいのにね。シーサイド・ハイウェイって、とってもきれいなのよ」

彼女は、ビデオでみたシーンをおもいだしていった。

彼らは、劇場にかこまれた広場についた。中央に噴水がある。照明はすべて消えていた。

「あら、どうしたのかしら。いつもにぎやかなのに」

妹は、噴水のまわりの石段に腰かけた。

「夜、おそくなると、消しちゃうんだよ」

「いま、何時ごろなの？」

「さあ、わからない。それに、時計って、あてにならないんだ。この街では、場所によって、時間のすすみかたがちがうような気もするし」

彼はポケットに両手をいれた。

「夜のはやいときに出発したのにね。ちょっとしか、歩かなかったのに」

「そういわれれば、そんな気もする」

最近の彼は、生活のしかたに自信がないのだった。どうしたらいいのか、わからないときがある。

ことに、一日がのびたりちぢんだりすると、とまどってしまう。目ざめのコーヒーをのんでいるうちに日が暮れると、おろおろしてしまうのだ。夜中までなにもしないで起きていると、親が叱りにくる。夜はねむるものだ、という。全然ねむくないんだよ、と彼が答えると、だったら眠っているふりをしなさい、という。そうしないと、世間体がわるい。世の中に対して、みっともないことをしてはいけない。

彼には「世間」というものが、まるっきりわからなかった。どういうことをさすのだろう？　ききかえすと、両親は「常識がない！」とどなりちらす。「おまえの年頃になったら、もうそろそろ常識が身についても、よさそうなものなのに」

彼は、自然に常識がつくのを待っていた。かなり待ったが、一向に常識はやってこなかった。彼には悩みが多い（しかし、本には、青春には苦悩と疑問がつきものだ、と書いてある。だから、これでいいのだろうが……）。

彼は妹のそばに腰をおろした。

「ねえ、時間なんて、もともとはなかったんじゃないかな？」

妹は目をあげた。

「人間のいないとこに、時間はないとおもうんだ。必要があったから、ひとは時間という観念をつくったんだ。ものごとのならべかたの順序としてさ」

「じゃあ、歴史はどうなるの？　あたしたち、正しい歴史をさがしてるのよ。人類はいつ、どんな方法でここへやってきたかってことを。やってきてから、どんなことが起こったか、知りたくないの？」

「このごろ、なんだか、そういうことに興味がなくなってきたんだよ。どうでもいいじゃないか、って気がしてきた」

「おまえ、それは危険な思想だぞ」

ベンチに腰かけた父親が、声をかけてきた。

「いいから、だまっててよ」

彼は頭をふった。

「いや、そういうわけにはいかないさ。なんのために、われわれは、本をよんだりビデオを見たりするんだね？　先人の暮らしかたを学ぶためじゃないのかね？　正しい生き方っていうものは、この上なくはっきりしているはずなんだ。たったひとつしかないはずだ。それにはずれたら、とんでもないことになる」

「ひとそれぞれ、好きなように生きればいいとおもうんだ、おれは」

「それは未熟なかんがえかただ。おまえの年だと、ふつうは学校へいって、無理やり勉強させられるものなんだ。それがないだけでもありがたいものなのに……いや、わたしはね、学校があればどんなに楽だろうとおもうよ。おまえ自身もね。地球には、受験勉強ってものがあったんだよ」

「知ってるよ」

「若さをぶつける対象があったら、どんなにいいだろうと、わたしはおもうよ。テストに燃える青春——いいなあ」

父親は、大げさに両腕をひろげた。「それが若さじゃないか！　自分の力をためす。いっしょうけんめいやったという、充実感！　その美しさ！」

「おれに、元気いっぱい全力投球少年になれってわけ？」

「それこそ、真の若者だ」

「やだよ。そんなダサイの。おれ、いっしょうけんめいの思想って、よくないとおもうんだ、最近」

「わたしは、おまえのためをおもっていってるんだよ。親のいうことにまちがいはないから、ちゃんとききなさい」

「だからさあ、学校で勉強するかわりに、地球人としての歴史をつくりなさいってことでしょう？　なんでそんなに、歴史とか時間にこだわるの？」

「おまえ、不良になったのか？　わかった、非行化してるんだろう？　ぐれると、そういう、くだらないことをいうものなのだ」

「いまに後悔するよ。おとうさんのいうことをききなさい。ことわざにもあるじゃないか。『墓に寝袋は着せられず』って。あたしたちが死んでからじゃ、おそいんだよ」

母親が口をはさんだ。

「ふとんだろ？」

「どっちでもいいじゃないか。いやな子だね」

息子は口をつぐんだ。

彼には、おぼろげながら、わかっていた。両親は、この星で、地球人として生きることに、不安を感じているのだ。それをおさえつけるために、こまごまとした日常の約束ごとが必要なのだ。どういうことが地球人としてのふるまいとしてふさわしいのかわからないから、自分や子供たちに無理におしつけているのだ。先祖の歴史をひっぱりだすのも、安心したいからなのだろう。

「おにいちゃんは、わるい子になったの？　三日まえまでは、すごくいい子だったじゃない」

妹が個人的に（非難するためではなく）たずねた。

「そうなんだよ。おれ、自分でもふしぎなんだけどさ。おかあさんが、出かけるしたくをするあいだ、時間についてかんがえてたんだよ。二日半かんがえてたら、順序だった時間なんていらないんじゃないか、とおもったのさ。ただ生きてくだけならね」

「あたしは、一時間しか、かからなかったわよ。おまえ、頭がおかしいんじゃないの？」

母親が、ネッカチーフでしばった頭をふりたてた。

すると、と息子はかんがえた。時間がおかしいのは、おれひとりなんだろうか。

「まあまあ、おかあさん、それはいいすぎだよ」

父親が腕をひろげて制した。

「そうでしたね。あたしって、ほんとうに子供思いなんだから。つい夢中になって……」

母親は、口に手をあててわらった。それから一同を見まわして、明かるく元気のいい声で命令した。

「さあさあ、そんなこといってないで！　とにかく、お弁当をたべましょう！」


怪物たちは身をよせあって、ねむっていた。やわらかい下草は、ベッドとして絶好なのだ。地面からは、あまいにおいがたちのぼってくる。樹木のにおいは、もっと強烈で官能的だ。彼らは、悩まずかんがえずに、ねむっていた。

ただ、二四だけはちがっていた。

夜の中で目をあけて、ほかの生き物の自由と時間に、おもいをめぐらせていた。


地球人の家族は、だまってサンドイッチを食べはじめた。最初のひとくちをのみくだすまえに、この星の朝がやってきた。

「おや、どうしたんだろう。こんなはずはないのに」

「だから、いったじゃありませんか！　時計をわすれないでって。あたしたち、とんでもない時間に出発しちゃったんですよ、きっと」

　母親はひじで父親をこづいた。

「そうかなあ、そんなはずはないんだが……」

　父親は、口をあけっぱなしにした。

「はずがないって、夜が明けちゃったじゃないの！　どうするつもりなんです？」

「おかあさん、でも、ピクニックって、昼間やってもいいんでしょう？」

　妹は平気で食べつづけている。

「知りませんよ、そんなこと。おとうさんが決めたんだから」

　母親はぴしゃっとしたいいかたをした。

「うん……こまったなあ。『夜のピクニック』って映画があったとおもったんだが」

　父親としては、立場がない。

「それは『戦場のピクニック』でしょう？」

　息子は、つい口をだしてしまった。

「バカッ！　なんてことをいうの！　それじゃあ、戦争をしてるとこにいかなきゃならなくなるでしょ！　いまどき、戦争をさがすのがどんなにたいへんか、おまえはわかっているのかい？　ほら、答えられないだろう？　だから、おまえのいうことは、まちがってるに決まってます！」

母親は、ヒステリックになりかかっている。

「ねえ『朝のピクニック』ってのは、ないの」

妹は家族の顔をみまわした。だれもきいたことがないようだ。

「しかたがない。中止して帰ろう」

父親は無念そうにいった。彼らは立ちあがった。

走りぬけるものがあった。それは、バスケットをうばって、劇場の入口から彼らをふりかえった。はしこそうな目をした、金髪の女の子だ。

「おい、どうしたんだ、かえしてくれ！」

父親が叫んだ。

「あのなかには、カットワークをしたナプキンがはいってるのよ。とりかえさなきゃ」

母親が悲鳴じみた声をあげた。

女の子は、バスケットを肩からさげて、走りはじめた。足がはやい。彼らは追いかけた。

「おとうさんが結婚記念日に、テーブルクロスとセットでおくってくれた、大事な品物なのよ」

母親は、わめきながら走った。

すがたが見えなくなった、とおもうと、女の子は、つぎの街角で立って待っている。

「あれは地球人じゃないぞ！　正統的な地球人は、われわれ以外には、いないはずだからな」

父親は、息を切らしている。

「オリジナルじゃない地球人っているの？　それは、どんなものなの？」

「うるさい！　くだらないことをいうんじゃない！」

「ナプキンなんて、物質再生機から出せばいいじゃない」

妹も走りながらいう。

「思い出の品なのよ！　この世にたったひとつしかないのよ！」

母親は大げさなことをいった。

走っては立ちどまり、また走る、という鬼ごっこが、すこしのあいだつづいた。

「食料ならくれてやるが、あの態度が憎らしい」

「あたしたちを、どっかへおびきよせよう、っていう魂胆よ、きっと」

だったら、走るのをやめればいいのに、両親はけんめいに走る。息子と妹は、なかばあそびながら、女の子のあとを追った。


不意に、街がとぎれた。

なだらかな丘のうえに、女の子は立っていた。

「ひとをバカにしおって！　つかまえてやるぞ」

「おとうさん、あぶないですよ」

四人は立ちどまって、丘をふりあおいだ。

大きな樹のかげから、老人があらわれて、女の子とならんだ。

「ご苦労をかけて、すまなかった。あなたがたと話をしたかったんだが、わたしたちは、どうしても都市にはいることができなかったからだ。不可能というわけじゃない。ああいう場所がきらいだから。あれは人間がつくったもので、わたしたちには、ふさわしくない……」

老人は、妙にぎくしゃくした口調で、だが、ものしずかにいった。

「それをかえしなさい！」

母親は逆上している。

「話がおわったら、かえします。わたしたちは、長いあいだ、あなたがたを見ていたんです。この目で、ではなく、心的イメージで。それはあなたがたにもできることだから、わかるとおもう」

「わたしは、きみたちなんか知らない！」

父親は、顔をまっかにさせている。

「まあ、ききなさい。わたしたちは、平和に暮らしていた。ものをつくりだしたり消費したりしなくても、みちたりていたのだ。ところが、どこにも変わり者はいるもんで、自分はなぜ生きてるんだとかどこからきたのか、ということをかんがえはじめた者たちがいる。かんがえるだけじゃなくて、不安にとりつかれてしまったんだ。彼らは、都市へいった。ほかの惑星の住民がつくって、捨てていった都市へ。そこで彼らは、時間とか歴史とかルーツとかを思い悩んで暮らすようになった……」

老人のことばは、老人くさくなかった。

「われわれのことですか！　だったら、よけいなおせわだ。われわれは、あんたらとはちがう。この街に生まれて、ここで育ったんだ」

父親は必死になっている。

「おぼえがない、というのだろう。しかし、記憶というものは、自分につごうよく配列されるものなんだ。わたしは、あなたがたにいいたいのだ。だから、ここまできてもらった。どうして、地球人――かどうかは知らないが、そんなよその者のまねをして生きるんですか。地球人のふりをしなきゃ、自由になれるのに。思い煩うこともなく、淡々と生きることができるのに」

「この野郎！」

父親のからだは、憎悪でふくれあがった。実際にそうなったのだ。彼は強烈な波動を発した。それは、きたならしい、いやな紫色をしていた。波動はその場を支配し、丘のうえの老人と女の子を直撃した。ふたりは、あっけなく倒れた。

彼らには、なにがなんだか、ちっともわからなかった。憎しみがつのると、肉体的に他人を殺すことになるとは、おもってもいなかったのだ。

「ああ、よかった、人間じゃないわよ！」

母親が、指さした。

そこには、青黒い怪物が倒れていた。

「びっくりさせるなあ！」

息子は、かるくわらった。家族の表情をうかがおうと目を走らせると、そこには、三匹の怪物がいた。

しずまりかえった丘を、風がやわらかくわたっていく。家族を演じていた怪物たちは、呆然と立ちつくしていた。いったい、なぜ、こんなふうになったのか、かんがえるゆとりもなかった。怪物たちは（自分たちは）どのようにも変身が可能なのだ、ということを、おろかしく思い出す。地球人だと信じていたから、地球人の外見をしていたのだろうか……。

風の向きが、かわった。

怪物たちは顔をみあわせることもなく、それぞればらばらに、そこを立ち去った。どこへというあてもなく、新しい不安の芽をかかえながら、ゆっくりと。

ユー・メイ・ドリーム

ガラスごしにのぞくと、壁ぎわの席で待ちうけている〈彼女〉と、目が合った。ずっと入り口を見張っていたらしい。手をあげるでもなく、緊張した顔を向けている。

わたしは店にはいり、意味のないうすらわらいをうかべながら、ちかづいていった。

「どうしたの？ ニカワでぬりかためたような表情しちゃってさ」

〈彼女〉に会うと、いつもかるくおどろく。おもっているほどひどいルックスでもないからだ。体重だって六十五キロぐらいだろうし、顔は地味すぎるが奇型的なところはない。年より老けていて、肌がきたないだけで。それがどういうわけか、わたしのイメージのなかでは、ブスの極致になっている。その雰囲気に、ひとをひきつけるはなやかさが、あまりにもないからだろうか。これほど目立たないひとも、めずらしい。

「なにがあったの？」

「……うん」

もともと沈んだ顔色をしている。あおざめているかどうかは、よくわからない。動きのすくない目が、やや熱っぽいような気もするが。

「重大なことなの」

〈彼女〉は、ストローを指で折った。

「それは、さっき聞いたわ」

ウェイトレスを呼んで、コーヒーをたのむ。〈彼女〉は、目をおとした。赤黒くふくれた自分の手の甲をながめている。決心がつきかねているようすだ。この沈黙には、演劇的効果がない。まわりくどさに、わたしはジリジリしてきた。

「はやくいいなさ――」

「はなしていいかどうか……」

まだ手をみている。

「だったら、やめにしたら？」

前置きがながすぎるんだよ。

「でもォ……」

いったい、なにをいいたいんだ、オマエは。わたしは爪をかんだ。〈彼女〉はべつに、わざとやってるわけではない。ひとをいらだたせて楽しむようなタイプではない。主観的には善人なのだ。それに、わたしとしても、こんなに軽蔑することはないのだ。このふたりの組みあわせ自体が、よくないのかもしれない。ウマがあわないというのではなく、あいすぎる。〈彼女〉の全体は、わたしのコンプレックスの具現ではないか、とおもえてくるほどだ。

「あたしたち、親友よね」

やおら顔をあげて、とってつけたようにいうんだから。

「うん」

かんがえるまえに、返事がでた。会話はわたしにとって、反射運動なのだ。相手がのぞんでいるようなことを、即座に口にするくせがある。まったく調子がいい。そして（たぶん）いけないことだろうが、そんなちゃらんぽらんな自分を、わたしは肯定している。

「つきあいだして、十年になるね」

〈彼女〉は確認したいのだ。

「そうね。学校時代からだから」

親密かどうかはべつとして、わたしには、ほかに友達がいない。子供のころから、人間関係が異常だった。そのせいで、メディカル・サクセス・センターへ通わされていた（いる）。勤めもながつづきせず、家で母親の手伝いをしている。ショー関係の服のデザインと仕立てに関して、母はなかなかのものだった。彼女が年とって感覚がにぶくなったために、最近は注文がすくないが。

コーヒーがはこばれてきた。ウェイトレスの後姿を、〈彼女〉は、ねっとりした目で見おくる。五秒ばかり窓の外を注視する。心理的な手つづきが必要な話題らしい。またしても、一方的な恋にやぶれたのだろうか。わたしは、コーヒーをがぶっとのんだ。熱すぎてのどがつまった。ハンカチをだして、口にあてる。ゆっくりと頭をめぐらせてきた〈彼女〉は、テーブルのわきのボタンを押した。透明カプセルがあがってきて、ふたりをつつんだ。これで、外部には声がもれない。

「人口局のやりかたを、どうおもう？」

おもむろに、〈彼女〉はたずねた。

「唐突にきかれても、答えようがないわ」

「だから、さ……」

「しかたがないんじゃないの？」

用心しながらいう。

「人間の尊厳ってこと、かんがえたこと、ある？」

「ないよ」

あっさりと片づけようとした。〈彼女〉は、喰いさがってくる。いくぶんうつむいた上目づかいと低い声で「ゆるされないことよね」

めんどうな議論はしたくない。

「そうかもしれないね」

決めつけてくるから、しかたなく答えたのだ。無責任に。

「デモでもなんでもして、法律をかえさせるべきだわ」

「そおお?」

どうやら——〈彼女〉に通告がきたらしい。以前は、冷凍についてなんか、ひとこともいわなかったから。

「だいたいねえ、規準があいまいよ。あたしがいいたいこと、わかる?」

いまさら文句をならべても、しかたがないのに。

「無作為抽選でしょ?」

感情が激してきたのか、〈彼女〉は頭をふった。古いけれどもきちんと折りたたんだハンカチをバッグからだして、その角をつつましやかに目の下にあてる。動作ひとつにしても、大ざっぱでいいかげんなわたしとは、まるでちがう。

「そんなことはないわよ、きっと。政府の上層部にいる人間は、優遇されてるに決まってるわ!」

〈彼女〉の内部では最初から決まっているなら、わたしに意見をきく必要なんかないのに。

「そうおもわない？　不公平よね。え？　そうおもわない？」

〈彼女〉は涙声になっている。

「おもう」

わたしは、ポツンと答えた。例によって、〈彼女〉は他人のことばの内容を無視している。自問自答している。わたしたちのやりとりは、たいてい平行するモノローグになる。刺激がない。発展しようがない。

「このあいだ、現職の大臣に通告がきたけど、あれはヤラセなのよ。国民を安心させようとしてるのよ」

やたらにカタイことばを消化せずにつかうのも、〈彼女〉の特徴だ。「つまりさ、大部分の一般人は、覚醒していないのよ。意識の持ちかたが、ゆがんでいるの。インターナショナルな見地でいえば……」

「こりゃ、どうも。わたしを、目ざめさせてくれるのね？」

皮肉は通じなかったようだ。いくぶん顔をあからめて「そういう意味ではなく」とつづけたから。

安楽死法案が一世紀まえに可決されたのが、そもそもいけないのだ、と〈彼女〉はいいだした。

「死の法律」と「人間の感情」と「ヒューマニズム」がどうのこうの。

昂奮がおさまるのを待つしかない。まだまだ本題にはいっていないみたいだし。かしこまって、わたしは拝聴した。二時間ちかく、〈彼女〉の発散はつづいた。こんなときは、自分が〈彼女〉の排泄のための受け皿になった気がする。

しかし、なんだってこのひとは、よりによってわたしのような相手をえらぶんだろう。こんな同情心のうすい人間では、どうしようもないだろうに。

「そのこと、ご両親は知ってる?」

「うん……あたしからは、とてもいえなくて……直接知らせがいったらしくて……ねえ、親になったがための不幸って、やっぱりあるのねえ」

「そうらしいね」

いくぶんうんざりしてきている。

「ふたりともさ、パニックを起こしてんのよ。いいたい意味わかる?」

「わかるよ」

はやく前へすすめよ。

「つらくて、直接会うなんて、とてもできなかった。だれがこんなこと、予想できたかしら」

口にする文章が、古典的にすぎる。かえって、こっけいにきこえるのだ。

「でも、死ぬわけじゃないし」

なぐさめようとしていったことが、あだになった。

「おんなじことよ！　冷凍睡眠ったって、解除されたひとは、ひとりもいないのよ」

「三十年しかたってないから、あたりまえでしょう」

「しかもよ、ゆるせないのは、自分から希望して冷凍にはいるのまで、いるのよ。若い子に多いらしいわ。なんにもわかっちゃいないのに付和雷同に」

「あなたは、わかってるんだ」

「すべてを理解しているとはいわないわよ。だけど、すこしかんがえれば、すぐわかるはずだわ。人口がふえすぎたから、整理しましょうってことよ。ちょっとひとねむりしてくださいって。こわいのは、この楽天的な時代の空気なの。そんなことなんともおもわない、人間の感覚の鈍麻なのよ。生きるということに対して、真剣になれないという……」

「はい、はい」

「かるくいわないでよ」

気分を害したらしい。

「じゃ、なんていってほしい？　あんたの望みどおりにいってあげるよ」

「からかうのはやめて」

いまごろ気がついたの？

「まだるっこしいからよ」

「わかった、うん」

〈彼女〉は、ひたいに手をあてた。

「用事があるんでしょ」

多少の疲労をおぼえながら、わたしはうながした。

「そう。じつは、あなたの夢に転移させてほしい、ってことだけど……」

余韻をのこしつつ、〈彼女〉は、じっとわたしをみる。

「いいよ」

「……そう」

「そうって、なに？ ひきうけないほうが、いいの？」

「いや、あんまり簡単にいってのけたから」

「かんがえなおそうか」

「そういうわけじゃないけど……」

理由はわかっている。たがいに目と目を見かわして（わたしが〈彼女〉の手を両手でつつんで）おごそかに承知すればよかったのだ。劇的なる瞬間にはすべての真実があらわになる、と信じているのだろう。わたしがクライマックスをつくりださなかったので、不満なのだ。

「転移するのは、ふつう、家族とか恋人が多いんだけどね。ううん、いやってわけじゃないの」

「わかってるわ」

なにが？

「わたしみたいな、正反対のタイプでもいいの？」

「それだからよ。両親にもたのんだけどね、当然。ふたりとも、あんまり夢を見ないらしくて」

「夢ってのは、見ないんじゃなくて、おぼえてないだけらしいよ。内向してくると、一晩に四つはおもいだせるもの」

「そうなのよね。うん、そうだ」

「わすれられるのがいやなのね」

「あっ、そのとおりなの。理屈としては。記憶にのこらなかったら、転移しても、しょうがないでしょう？」

〈彼女〉は、いつでも、わたしのいうことにすぐ賛成する。いやじゃないのかな？とおもうときがある。自分のかんがえが、はっきりしていないから、ひとにいわれるとそんな気分になるのだろうか。

「わたしは、毎晩夢を見るよ。それで、くたびれちゃうの。印象が鮮明すぎて」

「だから、たのむんじゃない。気心も知れてるしさ」

「まあ、いちおうね」

「通告をうけて五十日以内に冷凍にはいるって、決まってるのよ。転移したい相手とは、いっしょに人口局へいって、なにかヘルメットみたいのをかぶるの」

「知ってる」

「待ち時間もいれて、十分ぐらいで、すむらしい」

「にぎわってるね。冷凍志願者って、けっこういるのね」

「家族そろって、だったりしてね。たとえば不治の病い、なんていうんだったら、納得できるわよ。理由のなかには、きいておどろくようなのも、あるの。なんと、息子を宇宙飛行士にしたい、とか」

「かんがえられるね」

「あたしたちからみたら、想像もできないいくらい、イージーなのよ。人口局の広報テレビは、すばらしい未来都市を映すらしいね。緑あふれるゆたかな時代をね。それをまるごと信じる単純なのが多いのよ。将来クルーになりたい子って多くて、競争率がはげしいでしょ。船がたくさんつくられるまで待つつもりなのよ。冷凍と称して、ほんとは安楽死させてるのに」

「で、いつにするの?」

ふと現実にもどった〈彼女〉は、ハンカチを両手でまるめた。

「そうね……一週間後、はどう? そのあと、お酒でものむように、あたしがセッティングするわよ」

大げさな。ただぶらっと、ちかくの支部に寄れば、それですむことだ。酒場なんて、いきあたりばったりに、いくらでもある。

わたしは、ふたたび疲労を感じた。承諾しないほうが、よかったのかもしれない。〈彼女〉とわたしは、あまりにも似ていないのだ。

この時代の大部分の人間がそうであるように、わたしもまた、かなりいいかげんに生きている。モノゴトを、ふかくかんがえない。自己不信と諦観とが、わかちがたくむすびついているのだ。確固とした信念なんてない。こだわりもない。どんな事態になろうとも、その重要さが、感情的に自分の内部にはいりこんでくる、ということはまずない。こさせないのかもしれないが。その結果、気分だけで行動する。後悔も反省もない。

世界はその向こうに、平べったくのっぺりとひろがっているだけなのだ。やさしくたよりなく。

このひとは、まじめできちょうめんなのだ、とわたしはおもった。気がきかないし、やることなすことすべてに魅力がないけれど。

こんなにながくつきあっていて、一度も、ハッと胸をつかれたことがない。だれにでも、意外な面はあるはずなのに。おもいがけない純真さとか無邪気さ、冷酷さなど——たいていは、子供っぽいといわれる部分が。

だらだらと起伏がなく、その世界はせまく、過去のことに執着してウジウジする。ひどく感情的でウェットで……。

でもまあ、いいだろう。

いまから拒否するのは、めんどうくさい。そんなふうにおもうのは、わたしの悪癖のひとつだろうが。

こんなにもかたくなな魂が、自分の精神世界にはいってくるとしても、それは睡眠中のことだけなのだから。

「きょうは、これから時間ある？」

つまらぬ想いをふりはらうために、わたしはことさらにかるくたずねた。

「うん、飲みにいこうか」

「そのまえに、人口局に寄ろう」

「えっ、いいの？　いますぐでも」

「だって、準備するものなんてなにもないし、シラフならいつでもいいんでしょう？」

「そうだけど、急にいうから」

いったい、なにをかんがえているのかね？　転移させることを、儀式化したいのだろうか。記念日みたいに。

「いつだって、かわらないじゃない」

「それはそうだけど」

「いったん決めたら、ぐずぐずするのがいやなのよ」

わたしは、自分のコーヒー代をだした。いやみにうけとられるかもしれない、とおもいながら。

「いいわよ。払うわよ」

〈彼女〉は手をひらひらさせたが、わたしは立ちあがった。

「そういえば」

ふとおもいだして「あんたの去年の恋人はどうしたの？　転移させてくれるんでしょう？」

〈彼女〉は、のどのところで、ウッといったようだ。

「そのことはもう、いいの。とやかくいってほしくないのよ。ほっといて」

うってかわって、かたい声をだす。わたしを脅かすような。なにもいってないのに。わたしはため息をついて、彼女のうしろにしたがった。

明かるい空の下に立っていた。

前方に白いリボンのような道が、うねうねとのびている。ゆるやかな丘の向こうに、きえている。

春だ、とおもうとうきうきする。だれもいないのも、やたらうれしい。ゆっくりあるきはじめる。

あたたかくて気持ちがいい。頭のしんが、ぼんやりしている。自分の抜けがらを、いくつもいくつも、背後にのこしていくのがわかる。

こういうとき、わたしは、永遠の気配のようなものを感じるのだ。

うしろにだれかがいる。

おもいがけなかった。

目がある。ねばっこい視線で、ひっぱられている。背後にあるものは、過去または敵である。暗がりであり、わけのわからないものなのだ。

こんな透明な日に、と舌うちしたい気分だった。うしろの空気が重たいなんて。首すじに、なまあたたかく動物くさい息を感じる。

見えない糸にひかれて、ふりかえった。

〈彼女〉が立っていた。

なんだか所在なさそうに。

どうして、こういう登場のしかたをするのだろう。はるかまえのほうか、横に遠くはなれて出てくればいいのに。

——びっくりした。この二カ月ばかり、わすれてたから。

——きのう、冷凍にはいったのよ。それで、こうやって、意識だけが活動しているの。

そうか、これは夢か。

——ぐあいはどうなの?

——意外といいわね。かろやかよ。

——それにしては、あいかわらず、ふとってるわね。

——あなたのイメージのせいよ。

——そうかな。

——この世界を構築した全責任は、あなたにあるんですからね。

のっけから、わたしに、なにを背おわせようとしているのだろう。

——責任って。あのさあ、気にいらないんだったら、かえってても、わたしはちっともかまわないのよ。

——そうはいってないでしょ。

——あんたのすきずきなんだから。わたしは、個人的に勝手に、この世界をすごすから。

陽ざしは、こんなにやわらかいのに。すきとおったスカーフみたいに。

——わるかった。ごめん。そんなつもりじゃないから。ねえ、いい天気ね。会えてよかったわ。

〈彼女〉は、きげんがいいみたいだ。

——わたしも。

心ならずも、調子をあわせる。

——だけど、ここは、乾燥しすぎてるわ。

——そうなの？　くらべたことないから、わからない。

――あたしのとこは、もっと湿気があって、やさしい世界よ。

――いけないことかしら。

――それに、まぶしすぎる。

もういわない、といっておきながら、ケチをつける。どういう心境かね?

とたんに、空がかきくもった。人間の顔色がかわるように。

――わっ、どうしたの?

――あんたが、のぞんだからよ。

じつは、そうではない。わたしが気分をわるくして、それが空に反映されたのだ。

――すごいわね。こんなに急にかわるものなの? なんだか、こわいわ。

あまったるいこと、いうんじゃないよ、とおもいながらだまっている。最初からこれでは、先がおもいやられる。

暗雲がたれこめている。のどを鳴らす龍のようにうねって、おそろしい速さでとんでいく。ここでコツゼンと黒い城砦が出現し、ワグナーでもきこえてきたら、〈彼女〉はどうするだろうか。

不意に気持ちがなえてきた。

どういうわけか。〈彼女〉といると、力がぬけてくることが多いのだ。

空は、はっきりしない鉛色におちついた。陽がかげったせいで、風景にやわらかみがでてきた。

わたしは歩く気をなくして、草にすわりこんだ。〈彼女〉もひざをまげてそばにすわり、しきりにスカートを気にする。

丘の向こうから、白く光ったものがちかづいてくる。

――なに、あれは?

――ずっとちいさいころ見たロボットよ。センターにいたわ。二十年ぐらいまえよ。なんでこんなとこにでてきたんだろう。

車輪をまわしながら、けんめいにちかづいてきたロボットは、頭のランプを点滅させた。子供がよろこぶように、もっとも原始的なタイプにしてある。彼はジージーと、ファズ・ギターのような音をたてた。イッショニイキマショウといっているみたいだ。

――あのころ、すごく仲がよかったの。このロボットにしかなつかなかったの。

幼年時代を掘りおこさせたのは、〈彼女〉だ。わたしのサービス精神は、夢のなかででも、ひとがのぞむような設定をつくりだすみたいだ。

――まあ、と〈彼女〉は顔を紅潮させた。このひとは、感激屋なのである。とにかくなんでもいいから酔いしれたいらしい。いっしょうけんめいの思想なのだ。

――やっぱりねえ。愛情って、心の奥底では決してわすれないものなのよねえ。

そういうセンチメンタルなセリフをきくと、げっそりするのだが。

わたしは、ロボットを指ではじいた。それはガラガラとくずれ去った。内部は空白だった。

〈彼女〉はかなりおどろいたようだ。悲しみをこめてわたしを見つめている。まあ、いいや。非難されたって。

――あなたは、長い空白に耐えてきたのね。消えてしまった愛情の痛みに。

――ものすごいことというわね。それでよくまあ……わたしだったら、恥ずかしくて舌かんで死んじゃうわ。そういうことというと、ここでは、法律にひっかかるのよ。

わたしは、でたらめをいった。

――なに、それ？

――当然、情念とりしまり法よ。あれにふれると、溶けてなくなっちゃうの。カンテンみたいなものが残るけどね、すぐに乾いて風にとばされる。あとにはなんにも残らない。

――それは、ちょっとおかしいんじゃない？　あたしは、ここへはじめてきたのよ。なれろっていうほうが、無理じゃない。

〈彼女〉は、わらおうとしている。ひきつりにしか見えない。気のきいたことをいいたいが、うまくいえない。いつだってそうだ。冗談がわからない。だったら、ウケたがらなきゃいいのに。

自分の悪意がいやになる。

いままで、そんなことは一度もなかった。他人をからかったり、おとしいれたりしても、ただたのしかった。

〈彼女〉の出現によって、世界は多少かわったのだ。ソフトなわたしは、たちまち軟化するらしい。

してみると、このひとは、ここでのいわゆる良心とか道徳を代表してしまったのだろうか。目ざめてつきあっているときから、たしかにその傾向はあった。

〈彼女〉の発言は、こうしてはいけないとか、しなければならないとか、ゆるせないとか、決まっていた。

かといって、限度をこえたパワーはないのだ。わたしがつよくおしきると、それにつられる。あとになって（いつまでも）ブツブツいうが、ほとんどわたしは無視する。

この人物は、わたしの未熟な無意識に相当していたのかもしれない。シャドウとしての位置にいたのかもしれない。

だとするとおそらく、〈彼女〉にとっても、そのシャドウはわたしなのだ。ふたりでひとりぶん、のつきあいだったのだ。

たがいに、自分には欠けている要素を、たっぷりと持ちあわせていたので。

あーあ、という声がでそうになった。エネルギーがぬけていく。わたしは、草のうえに、すわりこんだ。なんて単純な原理だろう。

〈彼女〉も、そばに寄りそう。まるで女房みたいに。

だから、ごく自然に、〈彼女〉がわたしのこまかいせわをみる、という関係になったのだろう。いっしょに旅行して、ホテルの部屋についたとき、お茶をいれたり、テーブルをふいたり、ドレスをかけてもらったりしたものだ。うるさいな、とおもいつつ、されるがままになっていたのだが。

――これから、どうするの？　どうなるの？

――さあね。

わたしは、投げやりに答えた。

――ねえ、こわいわ。

――こわがっても、しょうがないでしょう。

これ以上、なんていうべきか。

――あら、だんだんうすぐらくなってきた。

――そうね。

やたら、かったるい。

――日が暮れたの？

――ちがう。

――じゃあ、なんなのよ？

――レム睡眠が、おわるんでしょう。

——そうすると、あたしはどうなるの？

——消えるでしょう。

——そんなの、いやだわ。

——いやったって、夢見るひとの意識もいっしょに消滅するのだから。

——そう。また会おうね。

わたしは口のなかで、あいまいな返事をした。これからも？　ずっと？


はででくだらない音楽が、からだにひびいてきた。ズンチャチャズンチャッという、ひどいリズムだ。わたしは覚醒した。

胸のうえに、がっしりと爪をたてて居すわっていた幻影が、そのあざやかさをうしなっていく。色あせたフィルムとなって、闇のなかに消えていこうとする。

わたしは、息をついた。

昼の世界では、表面に熱中している。無内容の極致がすきなのだ。それは夢——無意識の世界にも侵入しつつある。強力なプラスティック・カバーだ。その方向に自分をつくってきた。何年もかかって。エスの自我化というのだろう。

シャドウがこんなにはっきりと登場して、その均衡がくずれてきた。〈彼女〉は湿ってどろどろしたものを注入する。ひとりよがりのほうが気持ちいいのだ、ということをクドクドとくりかえす。いったいどういうつもりだ。とはいっても、どんなつもりかは、すぐにわかる。その行動原理である感情は、心のはたらきのなかでは思考とおなじく合理的なものであるからだ。なんらかの感情をもったその結果は、計算機ではじきだせる。抑圧すれば、トラがウマに乗ってやってくる。エネルギー不変の法則だ。

あんなふうにしていられるのは、禁欲を知らないからだ。みっともないと感じるセンスがないからだ。あーあ、毎朝こんなふうじゃ、たまらない。夢は完全に消えさらず、獣の息を吹きかけてくる。以前は、もっと無慈悲でギラギラ乾いた世界だったのに。

きのう、ねむるまえにコードレスのボディー・フォンをつけたのは、やや有効であったようだ。ペンダントの形をしたそれをとりはずそうとしたとき、大げさで恥知らずなギターがひびいた。そのあまりにも最悪な音質に、わたしはけいれんした。脚がはねあがって、毛布がういた。

わたしは、クックッとわらった。こういう演奏をプログラミングする人間の頭のなかを、のぞいてみたい。生きているのが楽しくなる。

わたしはボディー・フォンをつけたまま、台所へいった。コーヒーをセットする。ばかばかしいリズムに身をまかせながら、ペーパーフィルターをつかう。むかしながらのいれかたが、いちばんおいしい。

マグカップを両手にもって母の部屋へいくと、彼女はもう目をあけていた。ぼんやりと天井をながめている。

「また、そんな顔をして！」

わたしはわらいながら、カップを手わたした。

「しかたがないのよ。年とると。目がさめて一分ぐらいは、この世界の……なんていうか無情な法則にため息がでるの」

「時間でしょ」

「そうよ。それが、わたしの絶対なのよ。うつろなの。かといって、悲しいわけじゃない。悲しくないってことが悲しいのよ。わかる？」

「わかるわよ。わたしだって、もうすぐ中年だもん」

「また、そんなことといって」

「二十五すぎれば中年なのよ。でもさあ、ふりかえるのはいいけど、ふりかえってひょいとまえをみると、そこにふりかえってる自分がいるのって、いやじゃない？」

「なんか、わけのわかんない表現ね。さっき、電話があったわよ。起きたばっかりだから、こっちの映像はださなかったけど。寸づまりみたいな男だった。目がさめた最初に、なんでこんな人物を見なきゃいけないのかって、腹がたったけど」

「ママは自分がチビだからね。なんだって?」

「あんたの友達は冷凍にはいったかって。よく知らないって答えといた」

「あー、知ってる。あのひとの愛人なのよ。あのふたり、からかってやったの。つりあうっていえばそれまでだけど、あまりにも好みが変態的だって。まあ、実際には、それほどひどくはないんだけど。彼女には、あんなフリークスとつきあうくらいなら、犬とつきあったほうがましだっていったの」

「本気じゃないんでしょ? あんたは、くわせ者だから」

母はうすくわらった。わたしは床にすわった。

「そうよ、当然じゃない。わたしは、他人に対してどうしても真剣になれないっていうかなしいくせがあるんだもの。マジメにそんなことというわけないよ。ただ、おもしろかんべえとおもっただけで。ほかに不純な動機はない」

「あとでまた、かけてくるんじゃないかな」

母はガウンをひっかけて、スリッパをさがした。

「いまごろなんの用事かしら。彼女のことが、気になってるのかな」

「冷凍って、費用がかかるんだろ。人口局のやりかたは採算がとれるのかね」

「一応とれるってことになってる。新しい方法が完成したからって」

「いちおうね」

「そうよ。ほんとは、あのひとたち死んじゃってるかもしれない。人口局の医者は、データをしめして生きてるっていうけど。ずーっと先になって解除してみなきゃ、わかんないよ」

「あんた、くたびれてるの?」

わたしは答えずに、カーペットのけばをむしった。

愛していたメディカル・センターのロボットを、とっくのむかしにわたしは殺していたのだ。〈彼女〉は、それをおもいおこさせた。罪悪感がまるでないのが、妙に寒く悲しい。疲労は夜ごとの夢のためだ。〈彼女〉は、わたしを非難しているのだろう。あきれているのかもしれない。きっと古典的悲劇に身をまかせたいのだ。

「仕事、きょうもやるの?」

わたしは母にあまえかかった。

「やんなきゃしょうがないでしょ」

「あー、やだやだ。寝たきり老人生活したい。ねえ、きょうは休んで、昼寝大会しようよ」

「最近、よくねむってるじゃない」

「いくら寝ても、疲れがとれないんだもの。起きるとくたびれてるから、はやく寝る。そうすると、夢をみる。みると、またくたびれるのよ」

「あんた、友達をきらってるわけじゃないみたいね」

「全然きらってないよ」

母はナイト・テーブルにカップをおいてかんがえこんでいる。

「センターの先生には相談した？」

「彼には、なんでもいってるわ。でも、このごろは、なんだかアホらしくなってきたの。わたしは、どうして、このひとには心の奥底をぶちまけてるんだろうって。だって、よくかんがえてみれば、なんの関係もないひとじゃない」

以前、わたしは先生がすきだった。いわば父親の代理だったのだ。彼は実際には無能だった。なにも手をくださなかった。それでもわたしのなかでは、ひとつの役割を果たしたのだ。彼もまた、必要のない人間になっていく。いったい、わたしはどこへいこうとしているのだ。一般には執着の対象といわれるものを、こんなにもつぎつぎと手ばなしていって。

そして（たぶん）佳子は、それは危険だといっている。彼女はこわがっている。

「ぐあいがわるいの？」

母はこんな娘を心配している。かわいそうなママ。わたしはひとりでどこかへ行ってしまうというのに。

「頭のなかにオガクズがつまってるみたい。ほら、ノリで固めて人形をつくる材料。あの人形になったみたい」

目ざめたときより、ひどくなっている。音楽もききめがなくなってきた。わたしは、ペンダントをOFFにした。自分にだけきこえていた音は、かき消えた。

「夢を見ないようにする方法はないの?」

「あるよ。でも、それをずっとつづけると、気が狂うんだって。分裂症患者は、レム睡眠がなくなっても、平気なのよ。昼間、目をあけて夢をみてるから」

母は眉をよせた。

「ねえ、ごはん食べない?」

話題をかえる必要がある。

「あんた、ちかごろ、どうしてそんなに食べたがるの? ぐあいがわるいからじゃない」

母は台所へいった。

「男がいないからよ」

母親をわらわそうとしていったのだが、さほど効果はなかった。わたしはのろのろ立ちあがって、
食卓についた。

「いたじゃない」

「あきたのよ」

「なにかあったの?」

「ママってオロカだねえ。なんにもないからあきるんじゃない。べつに、あいつはなーんもわるいことはしてませんよ。こっちにやる気がなくなっただけで。枯淡の境地だわ」

「まさかァ」

今度はわらった。背中がふるえたから、わかる。

佳子が夢に出現してから、わたしは睡眠と食事だけをむさぼるようになった。死にたいのか。いや、そんなことはない。

電話がかかってきた。

わたしは、受像機のまえにいって、スイッチをいれた。それすらも、めんどうくさい。センターの医者がうつった。

「あ、おはようございます」

非常に申しわけないといった感じで、彼はかるく頭をさげた。わたしもおなじあいさつをかえした。

「ここのところ、いらっしゃいませんが、どうしました？ しばらくお休みしたいんですか」

「だって」とわたしは子供になっていった。

「行ったってしょうがないんだもの」

「まあ、この子は、なんて口きくんだろ」

母が首をねじまげて、こちらをみた。

「なぜですか」

医者は目をパチパチさせた。

「わたしが病気だとしてもさ、なおす必要なんてないでしょ」

「病気なんかじゃありませんよ」

「どっちでもいいけどさ、かったるくなっちゃったの。つまりねえ、漠然と『このままでいい』っていうふうにおもいはじめたの」

このままでいいわけはないのだが。

「そうですか」

医者はちらとうつむいて、また顔をあげた。

「気がむいたら、いつでもいらっしゃい。お仕事は?」

「あんまりやってない」

「来週の金曜日の午前中は、いかがですか。どこかへお出になる予定があったら、そのついでにセンターへ寄るとか」

そんなにていねいな口きくことないのに。かわいそうな先生。あれ? わたし、どうかしたのかな。今朝はいろんなひとを、あわれがる。

「なるべく行くようにします」

わたしはそんな自分を恥じて、小声でいった。

「お待ちしてますよ……では、お大事に」

画面は暗くなった。消えてゆく夢のように。

母が皿やコップをならべはじめる。

「転移をうけてからだね。そんなふうに元気がなくなったのは」

母はしばらくかんがえてから、ゆっくりとことばをついだ。

「いけないことかもしれないけど、消してもらうわけにはいかないの？」

「できるよ。いますぐにでも」

「だったら、そうしてもらえばいいのに」

「いまのところ、なりゆきに注目してるのよ。彼女が出演することによって、なにか事件がおこるかもしれないじゃない」

「なんでもおもしろがるのは、身の破滅よ」

「かもしれない、うん」

わたしは、食べ物をつめこみはじめた。

「きいてみると、お友達はわるいひとじゃなさそうだけどね」

「それだけに、始末がわるいのよ。こりかたまっちゃってるの。反撥もあるけど、ゲーム的な興味もあるの。どっちの精神力がよりつよいかっていう。わたしの夢の世界だから、フェアじゃないような気がするけど。でも、そうはいっても、設定がおもいどおりにならないことでは、ふたりともおなじだから」

「仕事はいいから、ローラースケートにいってきたら？」

「マア坊がそういってたわね」

「何回も電話かけてきたじゃない」

「マア坊ってさ、仔犬みたいでかわいいね。やたら元気がよくて明かるくて単純で。ずっとまえだけど、夜公園をとおりかかったら、満月だったの。彼、いきなりそこへおすわりをして、月に向かって吠えたのよ。そういうとこは、だーいすき」

わたしは微笑した。その気持ちにウソはないが、同時になまなましさもない。上のほうから彼を見おろしている感じがある。

「だったら、連絡してみたら？　あの子は、単にいい子でしかないけど、ほかの男よりは、ずっとましだから。背も高い」

スープをのんでいたわたしは、かるくむせた。母は、すらりとしているというだけで半分がたは、気にいってしまうのだ。一に外見、二に知性だそうで。わたしは知性よりも、こちらのいうことをどのくらいきくかが、問題なのだが。もちろん、マア坊のまえでは、そんなそぶりは見せない。気持ちをわかってもらおう、なんておもわない。どうやったらだませるか、しかかんがえない。だますというのはおかしないいかただが。いっしょにいてなんとなく楽しければいいのだ。マア坊に対して、いっしょにいたいという感情は、稀薄になってきている。

食事がおわって着がえているときに、そのマア坊が電話してきた。

「ごきげんいかが？」

彼のほうは、いつもうれしそうにしている。

「いま、こんな状態」

わたしは、こちらの映像をおくった。胸をあけて、彼からもらったひらひらした下着をみせた。まったく、なんていう品物をおくる子だろう。

「やばい。かくせ！　いま、ダチ公といっしょなんだから」

わたしは前をあわせた。

「学校は？」

「さぼったんだ。テープとどいた？」

「もらったわよ。すごくおもしろかった。特に気にいったのは、神経をさかなでする気持ちわるい曲ばっかり編集したやつ」

「きいてて、何回ものけぞるだろう」

「たまんない!」

ああ、あんたはいつまでも楽しくいてよ。決して深刻になったり、苦しんだりしないで。あんたが

ずっとそうしてられるとわかってれば、わたしはうれしい。なんだか、はるかなあんた。

「様式美って、ああいうのをいうんだろう。演奏において、なにをいいたいのか、まるで理解できないんだ。どういうつもりで、こんなのをつくったんだろうって、おもうね」

マア坊は、いつものように軽く滑空している。好きなものがたくさんあるのに、そのどれにも深入りしない。浅いところに彼の価値がある。母にいわせると、相当なチャラ坊ということになるが。

「きょう出られないのよ」

説明したいような気もする。それが、もどかしさを生む。

「どうして?」

「おとなには事情があるの」

「チェッ、二つしかちがわないじゃないか」

「あんたは特別幼いもの。でも、そこがすきなんだけど」

決して演技ではなく、わらえる。だが、心地よい隔絶感は、ますますつよくなる。それでいい。

「じゃあさあ、午後はこいつの家に行ってるから」彼は画面の外から、友人をひっぱりこんだ。「場所、知ってるだろ? かならず、おいでよね」

乱暴になったりやさしくなったりする口調がおかしい。いつのまにか、わたしは、うなずいていた。

わたしは、非常に大きな建物のなかにいるらしい。うす暗い廊下に立っている。バスローブをきて、はだしで。

ドアがつながっている。床と天井にぴったりくっついてないのは、それが全部シャワー室だからだ。ぺたぺたあるいていく。あてはないのだが、どうも出口をさがしているらしい。たくさんのドアを、はじからあけていく。だれもいない。角をまがっても、おなじような廊下だ。しいんとしてひえていて、湿っている。

それで〈彼女〉をおもいだした。このちかくにいるようだ。

不熱心にドアをあけ、またしめていく。順番に。全部がシャワー室だなんて、異常だとおもう。ぼんやりした暗さのなかから、〈彼女〉がでてきた。いつものツナギを着ている。このひとは、何回出てきてもおなじ服装だ。昼の世界では、何通りかのファッションであらわれたのだが、どれも似たようなものに見えたからだろう。ネズミ色とか茶色とか、にぶく沈んだ色を好んでいるから。

——さがしてたのよ。

彼女は息をきらしている。なにをあわてているんだろう。

——ひとりでいられないの?

とがめているわけじゃないけど。

——あたしって、内向しているから、その反動で同行者を求めるのね。

そう。わけのわからない理屈をならべるのが〈彼女〉のくせだった。（だった。）それよりも、なにげないことばのなかに、キラッとしたものがあったのに。

大昔にはやった化粧をしている。まっさおなまぶたと赤い口。くすんだ顔の色から、浮いてみえる。似あわない。

〈彼女〉のむかしの愛人がいってたっけ。服と化粧にセンスがないですねえ、なんて。わたしは、それじゃ全部じゃない、なんて決めつけたっけ。おもいだした。つたえることがあった。

——朝、彼が電話してきたわよ。

——なんていってた？

そんなに、ザアーッと顔色かえることもない、とおもう。

——ママが出たから。

彼女を気の毒におもう。

——そのあと、かかってこなかった？

——こないよ。

こんな返事はしたくない。胸のなかにヘビを飼っているみたいで、いやだ。〈彼女〉が転移するまえは、いなかったのに。わたしの胸のなかは、からっぽでさっぱりしてたのに。

——なにをいいたいのかしら。

わかりきってるくせに、きかないでよ。いやいや、こわいことに、わかっているのはわたしだけかもしれないが。

——安心したいんでしょ。

——どういう意味?

いどむような目をしている。たしかに、このひとは、わたしを憎んでいるのだ。だから、こうして出てくるのだ。どういうイミ、だって。あまりにもいわれすぎたセリフだ。

——あなたがさ、冷凍にはいったことを、確認したかったのよ。

——なによ。

〈彼女〉は、心持ち、肩をそびやかした。こんなシーンでは、つっぱらないほうがいいのになあ、とわたしは、またしてもおもう。こわがらせるために(かどうかは知らないが)そんなことをしても、誇りはすっかりうしなわれた。いちばん大切なものはプライドよ、と何度も強調していたのに。

——これ以上、いわせるつもりなの? あのねえ、あなたがまた追っかけてくるんじゃないかと、びくびくしてるのよ、あの男は。刺されやしないか、とか。

——そんなこと、するわけないでしょう。

彼女の声はふるえている。

——こわがるのも、わかるよ。だって、あんた、ゴタゴタのとき、会うたびに泣いたんだもの。つきあいったって、週に一回、五、六回会っただけなのよ。その程度で、腹のそこから声をしぼりだして（まあ、これは、わたしの想像ですがね）『好きよォ』なんていうなんて（そういったのは、ほんとうだ。男からきいてる）。執念まるだしなんだもの。

それ以前の〈彼女〉には、ドラマティックなことがなにひとつ起こらなかった。〈彼女〉は事件を夢想していた。なにもなかった、ということがコンプレックスになっている（らしい）。

——ききたくない。

その声には、ムッとするような殺気がこもっている。

わたしたちは、呆然と立ちつくしていた。

どこからか、ゴトゴトとにぶい音がひびいてくる。エアコンかボイラーか。その音があるせいで、ここにはおそらく、ほかにはだれもいない、ということがわかる。

彼女は、男と女のゴシップが大好きだった。だれとだれは怪しい、と熱心にいっていた。女性スターにあこがれるその情熱が異常だった。男のアイドルを好きになるのなら、まだしも健全なのだが。まるで自分が、そのスターになりかわったかのように、何時間でもしゃべりつづけるのだった。

人生に満足してないのだ。いや、このいいかたは正確じゃない。〈彼女〉は、自分の過去を、なかば恨みつつ、執着せずにはいられないのだ。なにもなかった、なにもしなかったことの後悔を、くりかえして味わっているのだ。

〈彼女〉の自我はその肉体をはなれて、きらびやかな他者にはいりこむ。代償行為をやめれば、現実に行動できるかもしれない、などとはおもわなかったらしい。

自分のみすぼらしさ、を一瞬でもわすれたかった。他人や状況への感情移入なしには、やってこられなかったのだ。

——やめなさいよ。そういうやりかたは。生まれつきのオールド・ミスみたいじゃないの。

おもわず口にだしていた。昼の世界よりも、自己統制がよわくなっている。

〈彼女〉は目を向けた。ギラリとしたわけではないが、怨念のつよさは、じゅうぶんにつたわってきた。

——わかるでしょう？　あたしは、あなたにたくさんの影響をうけてきたわ。

——ううん、わからなかった。いま、わかった。

いけないことに、わたしはあっさりといってのけた。

——こだわっていたのよ。ある時期。

ややねばつくような声で強調した。

——知らなかったわァ。

こういう軽薄な声を、だしちゃいけない。

——だから、だからねえ、結着をつけなきゃいけないのよ。

——なにに？

——あたしの気持ちによ。オトシマエをつけさせてもらうわ。

まあ、なんというこわいことをいうのでしょう。わたしは、さっきからここの空気をおおっている気配を、ふとまたつよく感じた。

——この建物の外は、どうなってんのかしら。

——知るもんですか。あなたの世界だもの。

——ここはシェルターで、人類のほとんどは死滅したのかもしれないよ。

〈彼女〉はびくっと肩をふるわせた。

——勝手に決めないでよ。あたしにだって、設定をえらぶ権利はあるわ。

わたしは、答えないであるきはじめた。彼女もついてくる。廊下は、迷路になっている。とにかく中心から遠くはなれよう。糸かチョークがあればいいのだが。

出口にちかづいているかどうかはわからないが、どんどんあるいた。おなじような光のなかにおなじようなドアがならんでいる。

——あなたの心、ずいぶん混乱してるのね。

〈彼女〉は皮肉をいったのか。

――うん、こんなに入りくんでるとはおもわなかった。

壁の色がかわってきた。土をかためたようなもろさが感じられる。外にちかいのかもしれない。この迷宮は、風雨にさらされて、何百年とたっているのかもしれない。

――この壁、くずれそうだよ。

わたしは、足でけった。はだしなので、たいしたことはできない。

――やめなさいよ。どうするのよ。

――どうするって、外へ出たいんじゃなかったの？　こんなとこにいるのはいやみたいだったから。

――でも、危険よ。

――あんたは、なんでもかんでもこわがるのね。

わたしは、壁にからだをぶつけた。ぼろぼろとくずれていく。〈彼女〉はヒャアといった。

そこはシャワー室ではなかった。泥でできた、なにもない部屋だった。窓がひとつ。その向こうに、明け方のような青みがある。外縁部まできたのだ。

すみのほうに、性別のわからないほどよごれたひとたちが、かたまっている。やせてアカだらけでボロをまとい、ネズミのような顔と動作でなにかを食べていた。人間ではないみたいだ。

〈彼女〉はしきりにわたしのわき腹をつつく。相手にしないほうがいい、という合図らしい。わたしは、彼らにはなしかけた。返事は、はっきりしなかった。何回もたずねてきだしたところによると、外の世界ではなにかとてつもない災害がおこったらしい。ずっと向こうに、生きているひとたちがいる、と彼らはいった。わたしたちはテレパシーがつかえる生物だから、と。

――行ってみようか。

――でも、なにが起こったのか、わからないでしょ。放射能とか。アンモニア嵐とか。ここが地球だっていう保証もないわ。

いわれてみればそうだ。

――そこの窓ガラス、すきまがあるみたいだよ。してみると、空気はだいじょうぶだとおもうけど。

わたしは、その部屋とは反対の方向へあるいた。この建物は、ゆるやかな丘に埋まっているようだ。廊下というより、洞窟になってきている。

白いつめたい光がさしこむほうへ、おずおずとちかづいてみた。ほら穴の外は、嵐だった。すぐに海がある。黒っぽいヤシに似た木が風であおられている。ほそい粘土質の道がとぎれそうにつづいていて、ここがちいさな湾の端だということがわかる。

――向こうっかわに、そのだれかがいるみたいだ。行きたいんだけど、これじゃだめだな。

〈彼女〉としゃべっていると、しだいに男の子みたいな口のききかたになってくる。論争しているときはちがうのに。〈彼女〉がわたしを頼りにしてくると。

——世界はおわったのかしら。

そんなに声をふるわせないでよ。わたしだって、こわくないことはないのだから。

——わからない。

——どうして？　え？　なんで世界をおわらせたのよ。

——生き物が全滅したわけじゃないよ！

——あれは人間じゃないわ。ねえねえ、やっぱり核戦争？

——ちがうでしょ。ここは次元のちがう世界みたいな気がするよ。

——じゃ、なにが起こったのよ。

質問されて、わたしはつまってしまった。インクのしみのようにひろがりつつある疑惑を口にしたら、それが現実となってしまうかもしれない。

夜明けまえのような光。そのあかるさは、いつまでもかわらない……。

わたしたちは、ちいさな丘のうえにいた。見わたすかぎり、赤土の荒野だ。この惑星は非常にちいさいらしく、地平線がまるみをおびている。

〈彼女〉は、しばらく声が出せなかった。あまりのことに。

空は硬質のドームとなって、頭上をおおっている。ギラギラした鉱物質の光が、青くかたい半球にあふれている。黄色いチーズのような太陽がそのまん中にはりついている。地上のものをにらみつけている、無情なひとつの眼みたいに。

——こんなとこは、いやよ。

やっとのことで、〈彼女〉はいう。

光はすべて針みたいだ。少しもあたたかみがなく、そのくせ痛いほどに明かるい。ここには、一切のものに影がない。

——人間がいたらいいのに。

——いても、なにもしてくれないかもしれない。

——でも、いてくれたらいいのに。

〈彼女〉の願望がかなえられたのか。ゆっくりとふりむくと、五、六十人がひとかたまりになっているのがわかった。彼らはアリのように地上をはいずりまわっている。その動きかたは、苦役に服しているみたいだ。

どこからか、破局をつげるサイレンがきこえてくる。

——なんにもないなんていやよ。

——まえに、街のなかにいたことがある。これと似たような光のなかだったけど、とにかく街だった。でも、わたしには、建て物は全部書き割りだということが、わかっていた。うすっぺらな一枚看板で、裏を見ればベニヤ板だってことが。そのときの空は、不吉なむらさき色だった。ひとや車で道は混んでたけど。

——あなた、こういう世界がすきなの？

——きらいじゃない。

——どうして？　どうしてよ。理解できないわ。

——説明だって、できないよ。

——こんなとこのどこがいいのよ。

——ここは清潔だよ。だって、この光に、なにもかもが灼かれているんだもの。

——人類を死滅させたいの！

——そればかりいうね。そんなことは、ちっともおもってないよ。

——あなたの世界は、学校とか友達とか、まともで生き生きしたものはないの？　ああいうものがきらいなの？

——大好きだよ。

いちいち答えながら、この女はどうしてわたしを男性化させるのか、とかんがえている。女の固まりだから、というのがある。〈彼女〉があまりにも女性的（と世間でいわれているような）役を演じるから、こちらがバランス上、男っぽくなってしまうのだろうか。男の子がでてきたら、女っぽくふるまえるのか。

しかし、マア坊や先生にでてきてほしくはない。自分ひとりでなんの不足も感じない。

両性具有願望？　シジジイ？　わたしは男でも女でもないし、性なんかいらないし、ひとりで遠くへいきたいのだ。

地球のおわりとか人類の死滅なんて、ねがってない。みんな、たのしく生きていてほしい。だからこうして、ちがう宇宙のちがう惑星のちがう時間系のなかへやってきたのだ。

——こんな世界は、いやでしょう？

わたしは、同情をこめてきいた。

——いやよッ。

まだおこっている。かわいそうに、まるきり事態がのみこめてないのだ。ここでは、あなたの役割は、シャドウなんだ。

——なんでこうなったのか、わかんないけどさ。こういう傾向は、あんたが来てからなんだよ。

——あたしがわるいの？

——そんなこと、いってないでしょ。どうして、どうでもいいっていうふうには、なれないの。

——あなた、どうでもいいの？　うそよ。好ききらいがはっきりしてるのに。いろんな人間にたいしても。

——もちろん、あるよ。光と影だけで、あいまいな中間地点があまりないくらいに。きらいな人物を攻撃したりバカにするのは、おもしろいしさ。でも、基本的には、どうでもいいんだよ。どうでもいいから、おもしろがれるんであってさ。

——同時に？

——うん、同時に。

——いつからそんなになっちゃったの？

——ずうっとちいさいころから。あのね、感情がはげしいことはたしかなのね。わりとおこったりするの。でも、なぜおこるかよくかんがえてみると、べつにおこらなくてもいいけど、それだと退屈だから、おこってみたりするわけよ。

——不自然なひとね。行動のすべてがそう？

——そうみたい。だから、それが自然なの。全部がポーズのようでもあり、本気のようでもあり、どっちでもいいわけよ。いろんな態度するけど、結局サービスみたい。

——生まれたての心はどうしたの？　抑圧したわけ？　本心は。

——だからさあ、本心ってのが、もともとそうなのよ。

——悲しいわね。そんなふうにしか生きられないなんて。

——それも、どっちでもいいの。

刺すような光は、あいかわらずだ。この星の太陽は、とんでもなく強力な電球なのかもしれない。その証拠にうごかない。うごかない……時間は、どうなっているのだろう。まさか、止まったなんて……。

——あなたって、整然と気が狂ってるみたいね。

——平然と、でしょ。そんなことも気にならないの。

天球に線が走った。だれかが、このドーム状の青空の外から、大きなカミソリでふたつに切りわけるように。黒くほそい線は地平線からゆっくりとあがってくる。

——なによ？　どういうつもり？

——わからない。

このひとは、すべての事象に動機づけをしたがる。そうしないと、安心できないみたいだ。見えないカミソリは、かたまった平べったい黄味のような太陽をも、いっしょに切りわけていく。

——こんな世界には、いたくないわッ！

〈彼女〉の上半身が、がくがくふるえている。以前にもそういうことがあった。ある日の午後（昼の世界で）〈彼女〉の家へいったとき、食卓にすわってしゃべりながら、なにかの発作のようにゆれていたのだ。五センチもの振幅だった。貧乏ゆすりとはちがう。注意しようとおもったが、本人が意識していないようなので、やめた。だまっていたのにはもうひとつの理由がある。

おそろしかったのだ。自分で気づいていないということが。すきなスターの話をしながら、からだをふるわせている女が、こわかったのだ。

このひとが狂うとしたら、気づかないうちにどろどろしたもののなかに沈んでいくだろう、とそのときおもった。狂気の種類が、まるでちがう。わたしは意識して、こうなりたいから、自分をこんな世界へとばしたのに。

——あんたの自由にすればいいよ。

なんだか、しゃべるのが、めんどうになってきた。わたしは、天空を見あげた。そのすばらしく硬い半球は、完全に二分された。やがて、天頂がゆっくりとひらくと、その向こうは……黒い、なにもない、虚無にも似たまがまがしい……あそこまでいくと、時間はたぶん……


わたしに通告がきた。

なにをえらべというのだろう。なにもえらびたくない。

テーブルのうえにそれをおいて、頭をかかえていると、母がちかよってきた。

「逃げたいの？　だったら、ママがなんとかしてあげる」

むかし（いつだっけ？）このひとに憐憫を感じたことがあった。あのときのままのわたしだったら、やはりおなじような気分になっただろう。でも、いまのわたしはちがう人間になってしまったので、なにも感じない。

「どうしたの？　え？」

生んでくれたひとは、わたしの頭から手をはがそうとする。それもやさしく、そっと。

「頭が痛い」

わたしは、しわがれ声で答えた。

「やっぱり、いやなのね。わかるよ」

「ちがう」

わたしは、痛む頭をかすかにふった。

「じゃ、なんなの？」

「これは、純粋に生理的な痛みなのよ」

あれ以来、夢の世界に、〈彼女〉はやってこなくなった。わたしのなかでのシャドウは統合されたのではなく、消されたのだ。そして〈彼女〉は、別の人間の夢で生きている。生き物がほかにいない意地のわるい世界で、わたしはひとりだった。充足感があった。

この世界とおなじように、自分の心が動かなくなってくるのがわかった。以前からそうだった。昼間でも。感情がまったく止まってしまうときがあった。そんなときは、なにも感じない。ひと殺しでもなんでもできる、という気がした。年に一度くらいそれがあった。ふたたび感情がうごきはじめると、自分の冷酷さにゾッとするのだが……しだいにしなくなり……夢のなかではまったくその状態で、わたしは自由を感じた。

　頭が痛いのは、ねむりにはいるたびに、あのギラギラした光を、まばたきせずに見つめているからだ。

「あ、だいじょうぶよ。いくらか、かるくなった」

　わたしは頭から手をはなして、母をみた。ずいぶんとかわいい顔をしたひとだな、とおもった。

「あたしのほうにくればよかったのに」

　母は通告のことをいっているのだ。わたしには、それがきたことが当然のようにおもえる。

「あのさ」

　そうだ、いっておかなきゃならないことがあった。

「なに？」

「わるくおもわないでほしいんだけど、わたし、ママの夢に転化しないからね」

「それじゃあ……」

「ううん、だれの夢にもいきたくない。なんにもないとこへいきたい」

　わたしの心的作業は完了したのだ。佳子のおかげで。

「おまえねえ」

「とんでもない恥ずかしいことばは、口にしないでね。自暴自棄だとか絶望だとか。まるっきり、そんなんじゃないの」

マア坊や先生やママが、明かるくしてくれればうれしいんだけど。もう会えないということが、すこしもいやじゃない。ちがった種類の人間は、ちがった世界へいくべきだ。わたしには、幸運にもそれがかなえられるのだ。

生きていたいとおもう。ずっと。だから、そうなる。意識をもたないで、どこかにあるひとつの眼になる。

「あんたの魂は、あたしとちがう材料でできてるんだね」

母がいった。

「うん、たぶん、……とても下等な材料だとおもうよ」

わたしは、やさしく答えた。

ペパーミント・ラブ・ストーリィ

8歳・20歳

街は、いつものように晴れあがっていた。騒音は快適なBGMだ。にもかかわらず、シーンとしたあかるさにみちている。妙に非現実的な。

想《ソウ》は通学カバンをかかえて、ひろい通りを横ぎった。そこをとおりかかる。立ちどまるのは、もう習慣になっている。

四時半までに、パーソナリティー・サクセス・センターへ、いかなければならない。十分ほどのゆうよはある。

ガラスと、それをつなぐパイプとでつくられた、陽光でいっぱいのレストラン。温室に似ている。

屋根のガラスには複雑なでこぼこがほどこしてあって、よく伸びる新種のアイヴィーが、帽子さながら店全体にかぶさっている。つたは、パイプをたくみにかくしている。遠くからだと、キラキラしたふしぎな空間が、突如出現したようにみえる。内部には、植物の鉢やその他のかざりはひとつもないし。

想は、おもてがわから、のぞいた。

あのきれいな女のひとは、やっぱりそこにいた。おんなじ時間、おんなじシートに。ほとんど毎日。想は三歳のとき、はじめて〈彼女〉をみたのだ。彼にとっては、発見といってもいい。それ以来、〈彼女〉を一方的にながめるのが、彼のひそやかなよろこびになっている。なぜだか、わからないけど。

〈彼女〉は、たまには、ひとりで。たいていは、おない年くらいの男のひとと、いっしょに。

想の母親は「あの子は、はたちくらいよ」といっていた。「変わってるわね。くる日もくる日も、おんなじことしてて。よくも、あきないもんね。おかしいんじゃない？」

そういうママだって、と彼はおもったものだ。たいしてかわりばえのしない生活、くりかえしてるのに。

想が学校へいってから、鏡子《キョウコ》はあとかたづけと二度めの着がえ（オフィス向き）をして、十時まえに部屋をでる。かえってくるのは五時。だから、いそがしい想の帰宅を、夕食のしたくをしながら、待っていてくれる。金曜は、親子そろって外での食事とショウ。土曜日、鏡子は部屋にいる。一週間分のそうじ、洗濯、家事のチェック。日曜はふたり仲よく、アスレチック・メディテーション・センターへ。離婚した夫に会いにいくことは、ない。これからもおそらく、ずっと。

「金持ち娘かしら」

鏡子は〈彼女〉のことを、そんなふうにいった。「十四か十五の、ほんのコドモのころから、ああなんだからね。男とひっついてばっかり、いてさ。相手は何人いるんだか、見当もつかないくらい。いやーね。ばかばかしくって、見せ物にもなんないわ」それから、好奇心まるだしのうたがう目になって「でもほんとに、どんな暮らし、してんのかしら?」

午後のひかりのなかに、想は立っていた。大きなアクリル・ボックスみたいな店と、その空間にぴったりの〈彼女〉にひかれて。

男がいれかわっても、〈彼女〉は、いつでもたのしそう。手をたたいたり、わらったり。まるで無邪気で。夢中になって。〈彼女〉が深刻そうにしているところを、想はみたことがない。一度だって。悩みというものを、知らないのだろうか。彼には、そのタネがじゅうぶん、あるというのに。

学校は、まだましだ。

あのいやったらしい、サクセス・センター。それに、八歳の彼は、将来のことだの、オカネのことだのを、心配している。キャッシュ・カードがつかえなくなったら、コブつき独身のママは、どうするんだろう。もしママが病気になったら、とおもうと、こわくなる。完全看護だから、病院についていって、そばにいさせてもらうこともできない。

はやく成功したい。ママがすきなことだけして、ほほえみながら日々をすごせるようにしてあげたい。時間のこと、オカネのこと、年とってきれいじゃなくなること、がママの問題らしいから。最近の彼女は、かがみをみては、ため息をついている。「女も、三十五をすぎると、ダメねえ。大金持ちだったら、若がえる手段、いくらでもあるのに」

母親のために、サクセス・センターへかよう。学校の成績もいい。それは、彼の義務感の成果なのだ。

想はいつも、いつでも疲れきっていた。元気だった、という記憶がない。生まれたときから、くたびれている。スケジュールがきつくて。強《し》いられてるわけでもないのに、休息の時間も緊張しきっていて。

〈彼女〉をながめているとき、放心の瞬間がくるときがある。めったにないけれど。

想がこんなふうにとっくり観察しているのに、〈彼女〉は、まるで気がついていない。彼がおさないから？　無視できるから？　こうして、五年も、週に二回以上は注視しているというのに。

想は、クラスメイトから買った超小型集音器を、耳につけた。方向をあわせる。全面ガラスの向こうの〈彼女〉と男のひととの会話が、道をへだててきこえてきた。彼は、レストランのむかいのビルの、陽よけの下に立っている。

「そうなのよ。結婚を決めてから、身元調査したら、そのひと、わたしのおじさんだったの。それまで、わからなかった。だって、一度も会ったことなかったから。それにマミーは『おまえの男？　どこのどなたさまか知らんけど、そんなもん、見たくもないね』って、対面しようとしなかった。そのくせ、わたしにはないしょで、興信所にたのんだりして」

「きみのおかあさんて、わりと陰険なんだ」

鏡子がよく、美少年と呼ぶタイプなのだ。相手は。

「さあ、わかんないわ。あまりにも独特なひとなので、理解しようって気にもならないの。彼女みてると」

「きみの、その、おじさんって、どんなだった？　年寄り？」

「八つ年上。それが、わたしの十七のとき」

「遺伝なら、いまじゃ、どうにでもなるよ。国立遺伝子センターで。染色体を加工するんだ。費用は、かなりかかるらしいけど」

「そんなんじゃないの。マミーが反対したから、やめたの」

当然、という顔で、〈彼女〉はさえぎった。

「へえ、セイコは、おかあさんのいうことなら、なんでもきくわけね」

美少年みたいなひとは、口をまげてかすかにわらった。〈彼女〉をバカにしているというか、からかってる感じだ、と想はおもった。そういうことには、妙に敏感なのだ。それより――〈彼女〉の名前、どんな字をかくんだろう。聖子、静子、誠子……。

「だって、彼女、わたしに命令することなんか、ほとんどないのよ。はっきり反対したのは、その件だけ。あとは、べつに、しなければならないことなんて、ないんだもん。毎日、コーヒーと朝ごはんを、ベッドにもっていってあげるだけ。あとは、午前中に一時間散歩して、寝るまえにうんとドライなマティニを二杯つくる。えーと、それから、おふろ場に、マミーが決めた特別のせっけんだの、パヒューム・コロン、タオル、それに浴剤――真珠にそっくりで、とってもきれいなのよ。そんなものをきちんと清潔に、おいとけばいいの。あのひと、シャンプーがほかの種類のだと、二日くらい、きげんがわるくなるから。ずーっと、おんなじようにしとけばいいんだから、わりと楽よ。なんに関しても、そうなの。変化さえなければいいんだ。カーテンが古くなって、まったくおなじ品物をさがさなきゃならなかったときは、ちょっと苦労したけど」

ぼくたちは、なんてたくさんの習慣をもっているんだろう！　想はあらためて感嘆した。しかも、ひとびとは、そのことをすこしもふしぎだとは、感じてないのだ。

「きみのおかあさんって、変わった顔してんのね」

男のひとは、なにげない表情で。だけど、きっと、セイコさんの母親のこと、気にくわないんだ。

想の神経は、こんなふうにうごく。じつにすばやく。だって、ママがお姑さんのことおもいだしてしゃべるとき、ああいう顔するもの。祖母は、彼の両親がいっしょにいるときから、孫に無関心だった。父親もおなじくで、息子よりも妻に夢中だった。あらゆる意味で。

「そうね。美人でしょ」

セイコは、うれしそうに強調した。

「なんか、整いすぎてるっていうか、おっかない、つめたい顔してる。なのに、名前はえーと」

「スミレっていうの。むずかしい字、かくのよ」

「星よ、菫《スミレ》よ、ってわけね。きみたち親子は」

男のひとは、わらいをこらえている。

ああ、星子《セイコ》って書くのか。これでひとつ安心した。知らないこと、わからないことがあると、想はいらだつ。世界を整理したい欲望がつよい、ということはすべてを手中におさめたいわけだ。しかし、彼は当然ながら、自覚していない。ただ、コントロールしたい、とだけおもっている。

「きみみたいのを、逆エディプス・コンプレックスっていうんだ。子供って、ふつう異性の親に執着するけど、その反対だから」

男のひとは、サクセス・センターの「先生」が、ママに解説するときと、そっくり。「同性の親に支配されて、エスでは反抗してるのに、自我の部分ではまったく従順で、手ばなしで賞賛する。サディスティックなほうの親にこだわって、はなれられない」

「あー、みんな、精神分析用語つかう。ブームなのね。いやんなっちゃう」

星子は、顔をしかめた。

この先、どうなるのだろう。

ぼくは、ここに長くいすぎる、と想はおもった。待ちあわせ用の場所じゃないし。ひとに、へんにおもわれないかな？　だが、通行人は、彼に留意しない。まだ、ここにいられる。想は、予定時間に三十分プラスするのが、くせだから。ひどく用心ぶかい子供なのだ。

「まあ、いいさ」

男は、頭のうしろで両手をくんだ。身をそりかえらせる。「きみの、スミレさんが、ぼくとつきあうことに文句いわなければ」

「いわない、とおもうわ」

星子は、どこかとおくをみている。どうでもいいような顔で。

「今夜、踊りにいこう」

男は、両手をパッとはなした。星子は、とたんに、にっこりした。

抱きしめたいくらいにかわいい、と想は感じた。十二も年上の女のひとを、こんなふうにおもうなんて、おかしいけど、とも。

星子は、立ちあがった。

髪をひとすじだけ、目もさめるようなまっさおに染めていて、それがゆれた。ひたいの星型のスパンコールが、いくつもキラキラひかった。昼間の街では、あまりみかけないメイクだ。ミュージシャンみたい、キマッテル！　想はうっとりした。

相手の男も、想とおなじ感じをうけたようだ。目でわかる。


パーソナリティー・サクセス・センターへは、二分まえについた。ニタニタ顔の「先生」が待ちうけていた。

「きみは、テストを受けます。13のドアにはいってください」

先週も、そのまえの週も。おかしなことをやらされるのだ。積木、色彩カード。やさしげなつくり声で「あなたのすきなとおり、おもったとおりに、ならべてくださいね」なんぞといわれて。想は、自分を一人前だと決めていた。そんな、赤ん坊みたいなこと、やってられないよ。

だが、おとなしい顔で、想は小部屋にはいった。

テスターは、いつもちがう。専門がこまかく分かれていて、きょうは、仮面顔の女。まばたきすらしないいんじゃないか？　彼は、キモチわるくなった。

想は、女がすきじゃない。センターの指導員には、特に積極的な嫌悪を感じる。例外は、母親と星子だけ。

壁いっぱいに、単純な機械がそなえつけてあった。ボタンが横一列に。そのうえに、ランプがふたつずつ。

「おすわりなさい」

女心理学者は、棒よみした。想は、機械のまえの椅子に、はまりこんだ。

「よくききなさい。このランプのうちのひとつが、ともります。赤か緑か、どちらか。赤の場合は、ボタンを押す。緑だったら、押してはいけません。両方同時につくこともありますから、そのときは自由にしてよろしい」

女は、べつのちいさなタイプライターに似た機械にむかった。両手をスウィッチのうえにおいて、彼を横から監視する。

「いいですか？　じゃ、はじめなさい」

女の声が、やや高くなった。職業倫理に燃えている。精神医学者はこうあるべきだ、というステロタイプをでっちあげて、そのイメージに忠実に従っている。想は、はっきりとことばで思考したわけではない。ただ、異常な雰囲気を、これはどこかまちがっているということを、つよく感じた。

想は適当に、いっしょうけんめい、やった。演技は、すでに身についている。そのときどきの相手が望むように行動するのは、反射神経になっている。そのことは（おそらく）このテスターには、わからないだろう。

赤と緑がいっしょに光ったときは、かまわずボタンを押したり、まよったふりをしてみせたり、した。

四十分たった。

「よろしい。これで、おわり」

女学者は、チェックした表を、もう一度ながめた。彼女は担当者（主治医）ではないので、カルテをみたことがない。だから、今回の結果に満足しているのだ。

想は小部屋をでた。

ソファーには、ママがいた。

「会社に連絡があったの。先生から。ねえ、あなた、なにかわざとしたんじゃない？」

鏡子は、さぐる目になった。

彼女は、想のクラスメイトの母親たちとちがう。息子を対等に、おとなみたいにあつかう。

わかってるくせに。想が、ともかく表面ではいい子だ、ということは。

「奥さん、2のドアにおはいりください」

インフォメーションがよんだ。

いけないと知りながら、罪悪感はまったくなしで、想は集音器をだした。

「――いいえ、そんなことはありません。異常、ではないんですよ。ま、なにが正常とされてるかといえば、つまり大多数に属する、ということにすぎない（小声で）これは、わたくし個人の意見ですが。（もとの自信をとりもどして）坊ちゃんは、ほかのお子さんにくらべて、成熟がはやいんです。もちろん、精神的にですが」

「すると、なんですか？　へんに気をまわしたり、他人の顔色よんだり」

鏡子は冷静にたずねている。

「複雑なんですよ。まわりに神経をつかったり、他人の気持ちを推《お》しはかったりする能力が、抜群なのです。ＩＱだけが高い、ふつうの天才とはちがいます」

男の指導員は、ていねいに熱っぽく語っている。

「ませてるのね。それで、はたちすぎたら、ただのひと。発育がはやくとまって、セコイおとなになるんだわ」

ママは、ぼくを愛してないのか？　想はふと、不安になった。

「早熟といわれるひとたちが、いまおっしゃられたようなタイプですね。しかし、残念ながら、息子さんの未来を予知することは、できません。これは、ほかのメンタル・センターへいっても、おなじでしょう。奥さんがご心配なさるのは、わかります。正直に申しあげると、こちらでは、どのように判断していいのか、わからないのです。若いドクターたちは、熱狂してますがね。ＩＱは１８６ですし。感覚と感情の発達は、十五歳平均に相当しますから。ついにミュータント出現、といって」

指導員は、鏡子の気分をほぐすために、かるくわらった。

「こちらでは、特異なケースを多くコレクションしていらっしゃるようですが?」

鏡子は、医者とはちがうわらいかたをした。

「あえて申しあげるならば、異常にすぐれたひとたち、と自負しています。それは、円満な人格ということではありません。ま、そんなひとは、自足しきってますから、仙人にでもなればいいのであって。それよりも、社会の役にたつ、それも専門バカではない、フュージョンした能力をもつパーソナリティーを育てる、というのが、ここの児童部の目標です。成人クラスもおなじですよ。おまちがえにならないように。精神病院に似てるかもしれませんが、コンセプトがまるっきりちがうんですから」

「……わかりました」

鏡子は、あなたのいいたいことは理解できた、というイミで会話をうちきった。だけど、あたしは了解したわけじゃない、がそのあとにつづく。口にはださない。

こわい、と想は感じた。彼がまだ知らないわけのわからないものを、母親は平然とだしてみせる。ときおり、だが。

想は、集音器をかくした。

鏡子がでてきた。

「どうだった?」

想は、子供らしく気づかって、ママの顔をのぞきこんだ。鏡子は、ちょっとだまっていた。不意に彼のほうを向くと、あかるくいった。

「お夕食に、友達がくるの。さ、買いだしにいこう。いそがなくっちゃ」

「ねえ、ママ、先生はなんていったの?」

「あなたは、とても繊細なんだって。感受性がつよいの。神経症気味だから、カウンセリングがはじまるわ」

「シンケーショーって、なに?」

ことばは、何度もきいたことがある。定義は知らない。

「自分で自分のじゃまをすること。自分では気がつかないとこで、ね。いりくんでて、不自然で、苦しんでて……人間関係が、見かけはとにかく、内実ではうまくいってない」

想は、ママほど真剣なひとを知らない(いまのところは)。そこが、大好きなのだ。「あたしも、そのクチかもね。自分に向かない男と、強情はっていっしょになって、そのあいだじゅう、彼を憎んでいたわ。神経質なくせに大胆で。気がよわいから、わがままで。半年たたないうちに、わかれたいっていいだしたのも自分だし。何年もそれをいいつづけて、いってるってことである程度の満足を得ていた……」

「ごちそうは、なあに？」

想は、とびはねてみせた。

「そうね……あのひとは、量さえたっぷりしてりゃあ、いいのよ」

「そんなとこへ、わが子をいかせるなんて、おそろしくない？」

友達とかいう主婦は、ばら色のワインをのんでいる。もっさりしていて、腰のまわりがことに太い。鏡子は、くちびるのはしでわらった。お友達には、なぞめいた気にならない微笑にみえるだろう。

ふたりは、長時間にわたって、食べつづけている。鏡子のほうが、比較にならないほど、プロポーションがいい。女たちは、しゃべりつづける。想は自分の量と速度で食事をおえると、部屋にひっこんだ。

ベッドに寝そべって、暗いなかで、身じろぎしない。力をぬいて、脳にだけ身をまかせる。

ぼくは異常か？　と想は醒めた頭で。基本的には、なんでもどうでもいい。そのくせ、感情のボルテージは極端に高い。ふつうになりたい、とねがう。祈ってさえいる。ほかの子みたいに。ふにゃふにゃしてて、頭がわるいからウソつきで、イージーな、子供の平均像。

ぼくは、やられちゃわないから！　なにに？　この世界にだよ。臆病でも、こんなに固く決心していれば――想のはげしくほとばしる感情は、頭をつきぬけて、部屋じゅうをかけめぐった。叫び、ぶつかり、折れ、強烈な反射が、はねかえってくる。全身が分解しバラバラになりそうな振動が、脳をゆさぶる。すぐに急激な不安。

想は、やわらかい大きな枕の下に、頭をつっこんだ。いやだ、いやだ！　みんなとおなじになりたい！　こんなんじゃなくて！　彼は枕のはしを両手でにぎりしめた。頭の中身をいれかえたい。カセットみたいに簡単に。彼はふるえ、汗をかいた。

女たちのわらい声が、かすかに。彼は、ながい息をはいた。弛緩《しかん》がやってくる。じょじょに。

彼は枕をはずし、ゆっくりとあおむけになった。胸は、まだ波うっている。もうひとつため息をつき、ひたいの汗を手の甲でぬぐった。もう、だいじょうぶだ。

想は、時期をはかって、ベッドからでた。脚はしっかりしている。音をたてないように、浴室にはいった。

シャワーはつめたすぎた。温度の確認をうっかりわすれていたのだ。めずらしくも。彼は手をのばして調節し、頭から湯の雨をかぶった。三分ほどでとめ、バスタオルをかぶった。かがみにぼんやりうつったすがたは、よわよわしくやせこけている。このままでいたい、と漠然とおもった。

自分の部屋にもどる。あかりをつけないでパジャマをさがしていると、ノックがあった。

「ハロー・ボーイ」

鏡子は、きげんのいい声をだした。「あのひと、かえったわよ。でてらっしゃい」

壁ぎわのスタンドをつける。ねまきのスナップをはめ、ドライヤーをかるくあてた。

居間にはいっていくと、鏡子はやわらかい大きな椅子に身をしずめていた。うつむいて、腕だけつきだしている。きゃしゃな指には、ブランデー・グラス。

鏡子は、顔をあげた。ふだんより、反応がわずかにおそい。彼女はなにかの想いをふりはらうように、息子にわらいかけた。

「のど、かわいた?」

「ぼく、コーヒーのみたい」

「いまは夜よ。あなたくらいの年の子には、昼間でもカフェインは、よくないのよ」

やわらかく、かすれた女の声。

「でも、ミルクをいっぱい、いれれば、いいでしょ? 半分以上」

「……そうね」

鏡子の頭は、空白みたい。神経だけが、指令なしにうごいている。彼女は彼の飲みものをつくって、わたしてくれた。ビスケットをそえて。

母子《おやこ》は、しばらくだまっていた。

気がついたように鏡子が立ちあがって、音をだした。壮大でやたらに元気のいい、SF映画のテーマだ。ボリュームは、すこししぼって。夜向きじゃない。たしかに。だが彼女は、陰々滅々とグチばかりならべる歌が、大きらいなのだ。

想は、胚芽入り堅焼きをかじった。

「ねえ、ママ、お化粧かえたら、もっときれいになるよ」

星子をおもいだして。

「どんなふう?」

鏡子は、目玉をくるりとまわした。ママって最高だ、と想は安心し、元気づいた。

「おでこにね、キラキラしたちいちゃい星を、いっぱい、つけるの。そいで、前髪だけ、青か赤かきれいなむらさきに染めるの」

「いいわね」

自らに向かっているその声は、星子に似ている、という錯覚をあたえた。

星子が、わらいながらふりかえる。だれへともなく。想にではなく。千の太陽がいっぺんに出現したような、かがやかしくも純潔な笑顔だ。それがくりかえされる。何度も何度も。映像が、かさなる。彼は息がつまった。めまいさえも。星子は、スローモーションで何回もふりかえった。

「なに、かんがえてるの?」

現実のママが、たずねかけてきた。

18歳・30歳

想はバイトの帰りで、ひどくくたびれていた。

十代の女の子に、珍奇な服を売りつけるのは、じつにたやすい。半日立ちっぱなしでも、体力の消耗はさほどでもない。十三をすぎてから、彼は急にじょうぶになり、運動はほとんどすべてができるようになった。

女の子たちを軽蔑し、つくりわらいをうかべて口車にのせるなんて、カンタンすぎる。それより、こんなことをしてていいのか、と絶えず自問しつづける。そのことで疲労してしまう。

ネオン・サインのストロボが、あるいている彼を、コマおとしにうつしだす。

鏡子はいらだって、息子を待ちうけているだろう。彼女は再婚しなかった。恋人も情人もつくらず、一夜かぎりの男との接触も、断りつづけた。「並よりましとか、まあまあだなんて、自分にゆるせないのよ。とびきり上等じゃなきゃいや」といって。更年期障害は、そのせいか、はやくきた。いまごろが、まっさいちゅうなんだろーか、と想はだるくかんがえる。だったら、ありがたいんだが。さらにエスカレートして、最盛期は何年かあとだとしたら、たまらない。

想は、通りをふらふらと。勤勉であった自分が、最近こうなってきたのが、おそろしくもおかしい。ふっと、わらう。

向こうから星子がゆっくりと。

あれから十年、はじめてみたときから、十五年たっている。その間、正面きって出会ったことは、一度もない。

「こんばんは」

想は、なにげないふりをした。

「こんばんは」

星子は、にこやかに。

だが、どうやら、彼を知らないらしい。

「会えて、ドキドキしてます。ずっとむかしから、あなたのこと、みてたんです」

ごく自然に、そういえた。想にとってみれば、初対面ではないから。

「そう？」

星子は、首をかしげた。

服装と化粧の印象は、あの日とすこしもちがわない。十年たっているのに。

今夜は、ラメのヘアバンドにおなじ素材のストッキング。銀いろのミニドレス。ちいさな妖精をおもわせる。夜だから。厚化粧も気にならない。

「あなたの……ファンなんです」

恋愛感情じゃない、これは。だとしたら、マザー・コンプレックスに似たものか？　このあこがれは、いったいなんだ？

「時間、あります？」

星子がだまっているので、彼は多少あせった。

「ええ、いつでも」

星子には、まるで警戒心がない。この女、すこしおかしいんじゃないか？　まるっきりのバカかもしれない。

半年まえから、センターにはいってない。アホらしいというより、夜あそびしたいから。

「じゃ、あの、いつものレストランへいきましょうか」

オレはあがってると、想はうっすらと感じた。口にだしてから、星子のほかの男と同一視されるのはいやだ、とおもったり。

「あそこは、この時間だと、しまってるわ」

星子は意識していない。だが、その返事は、彼にとって、つごうがよかった。

「だったら、ぼくがよくいく店で、かまわないかな？」

「そうね」

彼は先にたった。抱いてあるこうかともおもったが、まだはやいだろう。星子は、おとなしくついてくる。

それにしてもふしぎなのは、と想はひとつひとつのビルや看板をながめた。街の表情は、この十年、変わっていない。まるきり。彼が小学校へはいって二年くらいまでは、絶えず工事があった。街は、急激に変化しつづけた。それが、なんの予告もなく、パタッと止まった。経済成長だのなんだのには、関係なく。

古い物が存続し、あたらしいものができない、というだけではない。建て物は、手入れなんかされてないのに、十年まえとまったくおなじにピカピカにあたらしい。まるで、時間がとまってしまったように。

きょうも、きのうとおなじ。きのうは、おとといとおなじ。あしたも、かわらないだろう。なにも変わりやしないのだ。夜がきて朝がきて、また夜がきて……青春期にあるはずの彼は、もうつくづく（型どおりにいえば）人生に疲れていた。純粋に肉体からくるものではなく。希望も期待もない。かといって、単純にシラけているのでもない。退屈だが、そうおもってもしかたがないから、退屈しない。

上げ底なしに夢中になれるのは、何日かに一度、数分、星子をみるときだけだ。彼は音楽をやってみたり、ドライヴしたり、けっこう動きまわっている。だから、星子をみかけるのは、偶然による。彼女のほうは、クォーツなみに正確な規則正しい生活を、つづけているらしい。

『ロキシーの夜』という店は、客がまばら。これから真夜中にむかって、混む。アクリル、プラスティック、ブラック・ミラーの超アナクロ趣味。

コドモたち（想とおなじ年ごろ）は、それぞれ、せいいっぱい装いをこらして、ただただ目立ちたがっている。イモが強調されてるだけ、というのが半分くらい。

星子のファッションは、彼ら以上にハデでけばけばしい。それが板についている。年齢にさからって無理しているな、という感じはまるでない。ここにいる最年少者の母親といっても、さしつかえないのに。

洗練された、おとなの女をつれている。想はひそかな勝利感とともに、テーブルについた。壁ぎわがふさがっていたので、なるべくすみのほうの。音は、それほど、うるさくない。ここはディスコではないから。

想は、黒ビールをたのんだ。

星子をふりかえると「おなじの」という。意志がない、といってもさしつかえない声だ。かといって、憂鬱や怠惰や投げやりさが、まじっているわけでもない。

「あの。ずっと、ひとりだったんですか」

性急にすぎた。彼は反省したが、星子は気にしていない。彼女は、他人にはものうげにみえるような、顔のあげかたをした。

「わたし、いつかくる日を待ってんだわ。きっと」

星子は、テーブルにひじをついた。ここの雰囲気にとけこんでいる。おそらく、どこへいっても、そうだろう。

「ねえ、時間がとまってる、っておもうことない？」

星子は、不意に真剣になった。この街についてなら、そうだ。説明できないけど。しかし、星子も想も、確実に年をとっている。「ほんとはどうなのか、わかんないけど。時間なんか、とまってしまえばいいわ」

「そうね。だるいってことなら結局おんなじだから」

「あら、あなた、タイクツなの？」

星子の目が、つよくひかった。

「まともな神経もってたら、だれだって、そうでしょ」

「それなら、わたし、マトモじゃないんだわ」

皮肉や非難や自嘲は、ない。むしろ、かんがえこむような調子だ。

「そういう意味じゃありません」

想は、あわてた。じゃ、どーゆーイミだ？

「あの……こんなこといっていいのか、わかんないけど——ぼく、ずっと、あなたのこと、すきだったんだ。子供のころから」

大告白。彼にとっては。

星子はあっさりと「アリガト」

星子はいつも、二十歳から二十五歳くらいまでの男と、あのレストランにいる。相手のルックスはちょっとキレイ程度から上。そのじつ、だれでもいいみたいだ。絵柄で満足するのだったら、想をえらんでもいいはずだ。彼は並以上に女の子にモテるし、外見もわるくない。いままで、きっかけがなかっただけなのか？　男たち全員に、こんな態度をとっているのか。

「あした、時間、あいてます？」

大学やバイトは、ずるけよう。オレ、どんどん、くずれてくなあ。いつだって、用心ぶかくキチンとしてたはずなのに。

「あるわよ」

星子は、心のないやさしさで。まあ、いいや。とりあえず約束をとりつければ。

「何時でもいいんだ。会ってくれますか」

想は返事を待って、息をつめた。

「昼ごろは、母とすごすから……」

想がはじめてみかけたころから、星子は、よく母親とつれだってあるいていた。二カ月ばかりまえも、ゼミのかえりに見た。五十をこしているだろうに、スミレさんも星子とおなじなのだ。いや、逆だろう。星子が、忠実に親の模倣をしているのだ。

菫《スミレ》は、自分の青春期にいちばんカッコウがよかった、と推定されるスタイルを、がんこに守っている。服はミニ、アール・デコ、ロングとさまざまだが、化粧法はかわらない。カッチリしたつけまつげに、青か緑のアイシャドウを濃く。かならず、日傘《ひがさ》をさして。

「二時から五時までなら、あいてるわ。そのあとは七時半すぎから九時まで」

星子の口調は、淡い。

「場所は……」といいかけて、彼は口をつぐんだ。例のレストランで、星子をはさんで男どうしがにらみあっていたことをおもいだしたのだ。五、六年まえ。彼女は、男が乞えば（そして、外見が合格なら）やたらにいいわよ、といってしまうのだろうか。

星子は、彼のことばを待っている。

「きみ、知ってるとおもうけど。あのレストランから、あるいて二分くらいのとこに、わりときれいなラウンジがあるんだ。陽がいっぱい、はいる。名前はね……『ジョカへ』っていうの」

「知ってる。そこにしましょう」

星子は微笑した。目だけ、口だけ、といった「屈折した現代人」の表情ではない。心の底から、顔いっぱいに、ほほえみかけてきたのだ。わらうと、すこしもかわらない、と彼はおもった。あのころと。

「わたし、水がこわいの」

ちいさな金いろのライターをいじりながら、星子はうちあけた。

「目がさめてるときは、全然そうじゃないのよ。その反対なくらい。でも、夢をみるでしょ？　そのなかで、床がぬれてたり、おふろ場があったりすると、おそろしくて声もでないの」

いくらか、ぼんやりしている。目は、彼をみてはいるのだが。

「海は？」

「海？　テレビや写真でしか、見たことがないわ。べつに行ってみたくもないし」

「おれもそうなの。生まれてから、一度もこの街をでたことがない」

「だけど、夢のなかには、でてくるわ。たまに。それが、赤いきたない海なんだけど、そのきたなさがきれいなの。とっても。そこでは、もう時間がとまっているの。貝や魚は、生きてもいないし、死んでもいない。ひとりで海辺に立ってるの。こわい」

「じつは、それをのぞんでるのかも、しれないよ」

想は、意識しないでやさしくすることができた。めずらしいことだ。星子は、ほんとうは鋭敏なのかもしれない。それを気づかせないだけの、かしこさがあるのかも。そのどちらであるのか、まるでわからない。ただ、いっしょにいると、自分をさらけだすことが苦でなくなる。自然な態度がとれる。ものごころついてから、母親に対してさえ、対人関係としての意識をもちつづけていたのに。最近は、それが、さらにひどくなっているのに。

このひとは、いくつになっても、このきよらかさをうしなわないだろう。ある種の神聖さを感じる。

「べつのもの、たのみます?」

ええ、と星子はうなずき、彼にその品をささやいた。想は、ウェイターを呼んだ。

みんなは、自意識過剰のだらしなさで、シートにがんばっている。おもしろみのない音楽にききいっているふり、がまるみえの男もいる。ここには、汗も叫びもない。そうぞうしいものが、彼はきらいなのだ。

「時間もこわい?」

想は、星子と、もっとくっつきたかった。あいだにはさまったテーブルが、じゃまだ。

「時間と水」

星子はつぶやいた。ペパーミントのグラスをくちびるにあてて。遠い声で。

「永遠の水」

想も、おなじように。

「わたし、あんまりねむらないの。四時間以上、ねむったことって、ない。子供のころから。だって、寝てるあいだに、死ぬかもしれないでしょう?」

しずかな目で、星子は想を、正確には彼の背後にあるものをながめた。

想の時間感覚は、ぺらーっとしている。彼女をみつめているときだけ「永遠」にふれる気がする。そのときだけ。そして「永遠」と「瞬間」は、おなじものなのだ。長さがない、ということにおいて。自分で、これは独自の宗教的情熱なんだ、ということは、わかる。イン・ザ・プラネットという感じで、ある種の神さまを、信じているクチなのだ。自己の内部での。

「まだ、いっしょにいれる？」

想は、身をのりだした。ささやきおわると、もとにもどる。それではっきりわかったのだが、これは恋じゃない。経験したことのないものにたいするなつかしさ、という気がする。理屈にあわないが。

「ごめんなさい。いま、おもいだしたの。ママの夜食と飲みものを、用意しなきゃ」

「何時までに？」

「九時半に帰ってれば、いいの。ママが寝て、あとかたづけして、一時からはまたでかけられる。彼女、朝は九時におきるから」

夜中は、想のほうがやばい。わずかな物音で、鏡子は目をさますし、目ざめたらその夜は二度とねむらないから。

「まだ、いられるね。なにか、たべる？」

「いいかしら？」

星子は、遠慮がちにささやいた。男が払うのは当然だ、とはおもっていない顔だ。ややびくついているようにもみえる。

星子のほうが、カネをだしているのか？　十五くらいから、ずっと。

「いいよ、当然。きょう、給料はいったんだ。バイトの」

「わたし、ケーキがすきなの」

「うん、じゃ、そういうのが、たくさんならんでる店、いこう」

星子をたすけて、立ちあがる。知ってる女に会わなきゃいいが、とチラとおもいながら。

その店のウェイターがはこんできたトレイから、彼女は三つえらび、さらにふたつ追加した。

「びっくりした？」

幸福そのものの、子供っぽい顔。

「いいや？」

想は、かるくわらった。年の差を、まるで感じない。ときには、彼女が年下におもえる。

「うちでは、もっと、いっぱい食べるの。マミーが『外じゃみっともないから、おやめ』っていう。これでも、がまんしてるんだ」

「しなきゃいい」

「うーん、じゃあ、あとでまた三つくらい、たのんじゃおう」

「だけど、ちっともふとってないのね。プロポーション、はたちのときより、かえってきれいになったみたい」

あのころの星子には、若さの脂肪があったから。こんなほめかたは、したくなかったんだが。

「そおお？」

星子は、全身でよろこんでいる。

顔はしかし、十年まえのかがやきが、すっかりうせてしまって。くたびれた花にみえる。

「あなた、いつも、若い女の子とつきあってるんでしょ？」

そんなことは、まるで気にしてない、というふうに星子はふるまっているが。女はわからないから。

想は、用心ぶかく「みたいだね」とこたえた。

十代の女の子は、それほどすきではない。中年になったら、少女を追うかもしれないが。いまは、ただ、なりゆきだ。どちらかというと、年上ごのみ。たまにはいい女もいるが、相手のせいではなく、彼が夢中になれない。結果として、数はふえるばかり。

それを口にしなかったのは、おせじにきこえるだろう、と計算したから。彼女との、はじめてのデートの昂奮は、さめかかってきている。

「ねえ、そっちがわへいっても、いいかな」

想は、だるくなってもきたので。

「どうぞ」

壁ぎわのソファーにならんだ。あまい香りが、彼を一瞬、くらくらっとさせた。はっきりいえば、やりたくなったのだ。「ケダモノのお年ごろ」と笑った女の子がいたっけ。あれは冗談がわかる、かわいい子だった。壁の時計をさがすと、あと一時間ちょっと、星子といられるのは。いますぐ、いますぐ！

「ホテル、いかない？」

とたんに、動悸を感じた。

「いいわね」

彼女は平然としている。だれとでも寝るんだろう。そんなこと、ちっともかまわない。女から逃げるとき、それを理由に責めたてることはあるが。手段でしかない。

タバコをけし、伝票をつかんだところで、はいってきた女と目があった。先月か先々月、一週間ばかりつきあった二十五歳。

「ああら、ひさしぶりね」

こーゆー声だすんだよな、こいつは。

「あいかわらず、おさかんなのね」

うるせェな。オレの勝手だろ。かまわず立ちあがる。女は、まっすぐにちかづいてきた。ほかの何物も目にはいらないらしく。

「あんた、今度は、そんな大年増をこのむようになったの?」

「このひと、いとこ」

想のいいかげんな口上を、女はキャッチした。

「そんなウソ、すぐバレるのに。おやめなさいよ」

女と想は、立ったまま。星子は、のこったケーキをたべている。女は、ふたりをハタとにらみつけたまま、すわった。彼は立っている。「ねえ、きいてくれるぅ?」今度は、やるせない哀願調。上目づかいをしたので、女の広大な白目が、にぶくてらてらとひかった。

「時間がないんだ」

想は、早口で。

「いいじゃない。おねがい。ね、ちょっとだけ。二、三分でいいから。ううん、一分でいいわ」

「おはなしがあるの?」

星子は、すこしもかき乱されてはいない。

「ないよ」

彼は星子の背に手をかけた。ホテル行きより、この女からのがれることのほうが、さしあたっての問題だ。

「はなしたいこと、いっぱい、いっぱい、あるの。毎晩、毎晩ひとりで……だれかとあそびにいっても、さびしくて」

女は涙ぐんでいる。自分の文章の矛盾にも気づかずに。いつもひとりなのに、いつもだれかといっしょなのかね？　こーゆーのを、感情横すべり派というんだ。

「わたし、帰ります。もう、そろそろ時間だし」

星子は、女を、わざとではなく、ごく自然に無視している。こんな資質も、めずらしい。

「わかった」

想は（なかば見せつけのために）非常にやさしい声をだした。「あした、きっとね。わすれないでね。ぼく、時間どおりにいける、とおもうから」

「わたし、ときどき、おくれちゃうの」

「いいよ（わらって）二時間までだったら、待てるから」

「じゃ」

星子は、手をあげて、でていった。彼も手をあげた。

のろのろと腕をおろしながら、ふと、永久にうしなってしまうのではないか、とおもった。彼の気分は、顔にでたらしい。

「未練たらしい男って、いやね」

女は、またもやあの上目づかいをした。彼はすわって、体勢をたてなおした。

「そうだろ。そうおもうだろ。で、おれ、あのとき、きみと泣く泣くわかれたんだよ。無理してさ。いっしょにいたかったのに」

じつは、軽い心で涙うかべて、だったが。

「ほんとに？」

女の声はひくくなった。

「ほんともほんと、大《だい》ほんと」

「ふざけないで。ほんとにそうだった？　つらくなってもあたしはかまわない。ウソだけは、いってほしくないの」

小首なんか、かしげちゃって、あごから首のラインがくっきりしてなくて、カエルの喉みたい。そこへみにくいしわがよる。

「あのままだったら、きみにおぼれこんでいただろう。そして、ぼくは異常に嫉妬ぶかくて、小うるさいんだ。ながくつきあうと、きみを苦しめる。だから、だから、身をひいたんだ。きみのしあわせのために。だって、きみには、あたらしいひとができたし……かなしいことに」

想がほったらかしに、しておいたから。女はふらふらと、くされソーセージ男と、とりあえずくっついた。いまのようすでは、長つづきしなかったようだ。

「まあ、誤解よォ……」

なんたら、かんたら。

想はうわの空で、口だけうごかして、やりすごした。「おくってって」とあまえる女をのこして、そこをでた。さほど疲れてはいない。徒労感もない。いつものことだから。それより、それより……。

想は、母親のいる部屋へむかって、あるきだした。鏡子は、いまや重度の息子コンプレックスになっている。あれほど賢明だった女が。よる年波とさびしさのせいか？　たくさんの女の子たちとあそんでいる、ということは知っている。だから、かえって安心なのだろう。特定のひとりにほれこんではいないから。だが、星子のことは……。

星子に対して、想が理解できない種類の愛情をもっている、ということを母親はかぎつけた。

「十二も年上なのよ！　かんがえてもごらんなさい！　いい年して、あんなかっこうを、みせびらかして。いつもちがう男といっしょで」

ああ、ママ。とてもすきだったママ。むかしのあなたは、どこへいってしまったのだ。

想は、星のない夜をあるいていった。


つぎの日、想は星子との待ちあわせに、間にあわなかった。

でる直前、鏡子が発作をおこしたからだ。目がみえなくなり、脚がマヒした。ママはだまって、そのくせ、床をはいずってでも家事をやるんだ、というデモンストレーションをする。小さなテーブルや、そのうえの水がはいってる花びんがたおれた。鏡子は、わざとのように、よけない。頭で陶器が割れ、破片が散った。こうなったら、でかけるわけにはいかない。ヒステリーだとわかってはいても。センターへ電話してすぐ、星子にも連絡したかった。しかし、彼女の自宅の番号がわからない。場所さえも。『ジョカへ』にかけてみたが、三十分まえなので、星子はいなかった。

床にななめにたおれている鏡子を、なにもしないで横目でみているうちに、センターの係員がきた。タンカにのせられながら、鏡子はモノローグをつづける。「ああ、死んでしまう。心臓が痛い。こんなとき、息子がいけしゃあしゃあと、女に会いにいくなんて」

想は嘆息した。

彼がベッドからすこしでもはなれようとすると、鏡子はからだを弓なりにさせて、叫びをあげる。彼が手をにぎっていれば、おとなしい。セイコ、セイコ、セイコ、と彼は頭のなかでくりかえした。目をかたくとじて、ママの手をにぎる。

五時をすぎると、鏡子はしずかになった。

「キャッシュな女だな」

想はつぶやいたが、鏡子にきこえたのかどうか。彼を産んだ女は、執拗に、この男の子の顔から首にかけてのライン、特に彼女がほれこんでいる彼のくちびるを、視線でなぞる。情人《じょうにん》をみる目だ。

「今夜はここに泊まれよ。オレは帰る。だいじょうぶ、うちにいるよ」

病室のドアをしめると、想は走りだした。ひとにぶつかり、エスカレーターを二段とびにして。店のガラスドアのまえに立ち、それがひらくまでのせつな、彼はなかをみわたした。星子はいなかった。あたりまえだ。

シートにくずれおち、一分ほど放心していた。ウェイトレスがわきに立っているのに気がついて、いきなりたずねた。「なにか、伝言ありませんでした?」

ウェイトレスは無言で、店にそなえつけの落書きノートをもってきた。

「レモン・ジュース。ガムぬき」

いいながら、ページをめくる。きょうの部分に、星子はなにも書きのこしていなかった。記録とか記念とかを大事にする女じゃない、とわかってはいたが。

なにか、とてつもなくたいせつなものをなくした、という気がする。すっぱいジュースを二分でのみ、彼は店をでた。

街は、いつもとおなじ。いつでもおなじ。

夜がはじまる。あと五分で。

想はとにかく、あるいた。うちにいなきゃ。ママが三十分おきに電話してくる(だろう)。とちゅうで、女の子を呼びだした。真夜中まで鏡子の電話をうけつづけながら、女の子をいじめた。「痛い、痛い」とわらっていた女の子は、おしまいに泣きだした。彼はけんめいになだめ、朝の三時にそろって散歩にでた。気がつくと、だれかの家で、ひとりで毛布にくるまっていた。昼ちかい。あれこれさがしまわって、とにかくコーヒーをいれた。これから先、オレはいつもこーなんじゃなかろーか。

窓をあけはなった向かいの部屋で、同い年ぐらいの男が、ギターをひいてうたっていた。めめしいラブ・ソングを。♬かえってきておくれェ〜せめて、ぼくの指をにぎっておくれェ〜

「だまれ！」

想はどなり、その男にコーヒーをぶっかけ、窓をしめ、その部屋をでた。

28歳・40歳
目ざめると、みちるはもう、ベッドにいなかった。想のすきな軽薄ポップが、かかっている。こんなにぐっすりねむった記憶は、いままでにない。

昨夜は、約半年分の疲労をしょいこんで、ねむりにおちた。仕事とか、そんなんじゃない。問題は、ママ。

おない年のこの女と、知りあったその日から、本気でつきあいはじめた。四年まえ。それがバレてから、鏡子は「病《やま》いじょうずの、死にべた」になった。

想の女関係としては、奇妙だった。

テープ屋で、ながいあいださがしていた掘りだしものをみつけた。想が手にとると、横からするどい声がとんできた。「それ、わたしが買うのよ。いま、伝票につけてもらってるとこ」

「だって……」

ふりかえると、おとなっぽい顔だちの、しかし雰囲気としては幼児的な女が、タバコを左手にはさんでにらみつけていた。本人にそのつもりはないだろうが、よくかがやくつよい目だ。

「まあ、いいわ」

すぐにだるそうに、女は息を吐いた。「それ、あなたにあげる。レジはすんでるから、もっていって！」

くるりと背をむけて、でていこうとする。想は女の肩に手をかけた。服のうえからではわからなかったが、骨ばっているのにおどろいた。

「待てよ。そんなわけにはいかないよ。ねえ、ぼくも半分だすから、これ、共有にしない？」

ハイヒールをはいている女の目の位置は、想より二センチほどひくい。つりあいとしては、ちょうどいいな、あるきながらしゃべるには、と想はおもった。彼女はまっすぐに、彼の顔をながめた。女の表情が、やわらかくなった。わらって「そうね」とうなずく。

「じゃさ、これ、いまから、ふたりできかない？」

「わたしのうち、このちかくなの。くる？」

「いく、いく」

もちろん。しかし、親きょうだいと顔あわせたら、なんていおうか？

「ひとりぐらしよ」

偶然なのか、想の心理をよんだのか、彼女はさりげなくつけくわえた。「わたし、み、ち、る、っていうの。あなたの顔、すきよ」

想はしばし、絶句した。どーゆーイミだ？　みちるは、さっさとあるきはじめた。

三日いっしょにすごした。男の友達にウソをついてもらって、そいつと仕事してる、と鏡子にはおもわせておいて。日に二回は「ママ、どうしてる？」と電話をいれて。

想は、たちまち夢中になった。彼がしゃべることに、みちるは即座に適切な反応をかえすから。非常にたのしく、昂揚し、楽《らく》でもあった。そのくせ、恋愛感情はあまりなかった。

ワン・クッションおいたような、たがいの心理のさぐりあいが、わりとながくつづいた。

「こいつは、くわせ者だ」と想はおもった。いままでにはなかったことだが、そこが気にいった。みちるは、表面ではヘロヘロしている。だが、内奥《ないおう》には、底知れぬこわいものを秘めている、と想は直感した。

みちるとつきあっているあいだ、想はほかの女との「かるいおつきあい」を、適当にやっていた。みちるは、やはり、待っていたのだ。そんな顔は、まったくみせなかったが、非常にプライドがたかいから。

こうして、いっしょに暮らしはじめたのが二週間まえ。同時に、日夜《にちや》からめ手で鏡子を、説得しつづけた。六カ月まえには「あの子とあたしと、どっちをとるの！」と叫んでいた鏡子は、きのう、やっと妥協した。

「おはよう」

みちるが、陽気に声をかけてきた。オムレツのにおいが、ながれてくる。

「とってもいいお天気よ。この街はいつもそうだけど、きょうは特製。ここ、高いから、よけいにね。おかあさん、空中住宅には反対してたけど、決めてよかったわ」

なんでも反対したのは、もちろん鏡子だ。みちるのほうの母親は娘を信じていて、父親は妻のいいなりというタイプなのだ。

スカイ・ハイは、べつにめずらしくもない。都市計画が急激にかわったころ、想が生まれたころ、すでに青写真がひかれていた。すべてが完成して、二十年たつ。一本の支柱に、陽あたりが考慮《こうりょ》された庭つき一軒家が、鈴なりになっている。庭といっても、ベランダふうだが、本物の土が五十センチ以上はいっている。

みちるが、コーヒーをはこんできてくれた。のんでから、ベッドをでる。

「やあ、豪勢だな」

食卓をみて、想はいった。

「いちおうね。区切りですから」

「おれもおなじ気分さ。だけど、疲れがまだのこってて」

だらしなく、ソファーにすわりこむ。テレックスもよみたくない。

「あと、どのくらいで、たべる？」

「二十分……かな。わるいけど、ペパーミントのカクテル、つくってくれない？」

「朝から？　あんまりお酒のまないひとなのに」

みちるは、わらっている。

「うん、ぼくは低血圧だから、少量のアルコールは、からだにいいんだ。そのあと、シャワーあびて、食事」

テーブルにでているシャンパンでもよかった。いや、それはちゃんと、席についてからのお祝い用だ。ビールをコップに一杯でもよかった。

ふと、星子をおもいだしたのだ。ひさしぶりに。デートしたあの夜を。

みちるは、キッチンにもどった。「材料、そろってるかな。だいじょぶよ。すぐにとりよせるから。それにしても、めずらしいわね。女の子がのむようなカクテルを、あなたが」

いまでも星子は、むかしとおなじようなかっこうをして、二十歳ちかく年下の男とつきあっているだろう。一年か、それ以上まえ、街でみかけた。あいかわらずだった。

そのとき、みちるは想の視線をみのがさなかった。「あのひと、神経おかしいんじゃない？　お知りあいだったら、ごめんなさい」

敏感な女だ。みちるは、想と星子の、ながいおかしな関係を知らない。彼も、口にだすつもりはない。いまは、みちるとのことが、大事なのだから。

ふたりとも、おなじ魚座でＡＢ型。センターによると、離婚しないだろうという予想は、80パーセント。

想は、一年まえから、センターにかよいはじめた。自分はもう、おとななのだから。世間なみにやろう、と決めて。

成人向きのそこでは「患者」といわずに「来談者」と呼ぶ。インチキも、きわまれりだ。ウォルター・ミシェルの「社会学習理論」だの、キャッテルとアイゼンクの「因子アプローチ」だの、なんでもかんでもをいっしょくたにしているのが、想をわらわせる。もはや理論とはいえない、かなり独得な理屈が「絶対」として、あがめたてまつられている。

想は、思考的内向・社会的外向という、妙な結果をテストでだした。本来はうちにこもりがちな人間が、攻撃をヨロイとしてる、ということだろうか。基本的にはＨｙ性格だそうだ。ヒステリーのことだろう。

当然じゃないか。オレは、演技とサービス精神をめざしているんだ。この、エライ世間に処《しょ》するためにね。複雑で不自然な生きかただといわれたが、スリルがあっていい。あの医者は、こんなふうにいった。「カルテには、大脳皮質の喚起レベルが高い、となってる。これが低いひとは、外向的と決まってるんだが、いちおう。つまり、きみは外向的なひとより、よりよわい刺激に敏感なんだ。内向的なのだよ。そんな平気そうな顔してるけど、じつは緊張とカットウが、つねに持続している。自分の神経質さや臆病さを、けんめいにカバーしてるんだね」

わかってるよ、そんなこと。若いころのママに似てるんだ。彼女、いまはあんなになっちゃったが。そして、彼のほうが、鏡子よりさらに意識的だが。ことさらで、わざとらしいことは、自分でも知っている。

ありがたいことに、先月から、担当の心理学者が、替わった。今度の人物は、無意識とか自我とか、ききあきた流行語をいわない。センターのなかでも、異分子《いぶんし》らしい。彼の概念のなかには、すくなくとも、それとわかるような形では、動機・本能・刺激・学習などということばが、ふくまれていない。想は、気にいって、以前より熱心になった。

みちるが、トレイにカクテル・グラスをのせてきた。自分用には、トマト・ジュース。

「週に一回は、外でデートしてくれる？」

「うん」

「ここに住めるなんて、すてきよ」

「そうだね」

「まえから、あこがれてたの。わたし、仕事はつづけるわ。子供はつくらない」

暗黙の了解を、みちるは、はじめて口にだした。

「きみのしたいようにするのが、いちばんいい。おたがいにね」

わかれたくなったときに、そのほうがスムースにいくから。そうおもっても、自己嫌悪なんてない。いっしょになるまえから、離婚のための心準備はしておく。それが、本来の彼なのだから。

「あなたって、計算高い男ね。それもセコくてさ」と、いつか、みちるはいっていた。目では、わらいながら。

みちるとは、現実面では、うまくかみあう。つきあいがながいし、彼女はひとの心のうごきに、すばやく反応するたちだから。シンク・タンク・チームとしては理想だ。

「きょうは、オフ?」

「いや」

「残念ね。わたしも用事があるから、いっしょにでるわ」

用事とは、婚姻届けのことだ。想には大仰《おおぎょう》でカネのかかるセレモニーをする気がない。みちるもおなじ。役所へは、彼女ひとりでいくことになった。

同棲でいいじゃないか、という友人もいる。だが、想はなにごともキチンとするのがすきだ。時流《じりゅう》にさからって「ぼく、結婚してるんだ」といって、仲間をわらわせたい。へえー、あの想が、ケッコンねえ……と、みんなはあきれるだろう。それに、ほかの女の子となかよくなったら、今後はりっぱな不倫《ふりん》となる。それがおもしろくてたまらない。

ふたりは、食事をした。

陽光があふれ、陶器のふれあう音が、こころよい。絵にかいたような「ご家庭の幸福」。それを演技するのが、想の趣味。彼のアイロニカルな部分を、みちるはよく知っている。ときおり彼の声色《こわいろ》をまねて「様式美《ようしきび》だなあ」というくらいだから。知ってはいるが……みとめているのだろうか？　彼女は彼を、全面的に認知《にんち》しているだろうか。通暁《つうぎょう》と認知はちがう。

想は着がえた。服のぬぎ着さえ、妻や恋人に手伝ってもらう男の気がしれない。そんな子供っぽい、妻を母親と同一視するような、あまったれじゃない、と自分でおもっている。依存《いぞん》愛情欲求は、あまりない、といまは信じている。他人（自分以外は、全部他人）によりかかるのは、大きらいだ。物質的にも、精神的にも。

いや、と想はボタンをはめながらおもった。きらいっていうより、こわいのかもしれねえな、オレは。気がちいさいから。だれかに依存するのが。それは、のみこまれるのと、おなじことだから。そして、憎悪よりも愛情のほうがこわい。愛にのみこまれるのが、おそろしいんだ、きっと。

愛？　想はかすかにわらった。オレが心底から、まるごと、全身全霊をかたむけて、他人を愛するるなんて日が、やってくるだろうか。まるで身投げするみたいに。だれかのなかに、頭からとびこむように。そんな自殺行為に似たことをするだろうか。できるわけねえだろ、こんなオレに。

だからさ、だから、わらっちゃうんだよ。こーやって、ちゃんと、ケッコンなんてする自分がおかしくて。愛だってさ。十九世紀的だなあ。「嵐ヶ丘」だ。荒れ狂う天候をものともせず、気が狂ったように、もどってくるヒースクリッフ。愛する女の墓を、両手であばくキチガイ。芝居でだったら、いくらでもやれるよ。オモシロイから。だけど、こんな世の中に、いるのかね？　本気で（ああッ！）その情熱とやらにとりつかれるやつが。キツネつきじゃあるまいし。

「あら、また、それをかけるの？」

みちるは、ミラーのサングラスのことを、そういった。

「うん？」

それが、このところの、彼のくせになっている。他人の、つきささるような視線は苦手だ。

（もっとも、そんな目でひとを見ることができるやつ、何人いる？　この世に。それほどスケールの大きいやつだったら、一目《いちもく》おいてもいいぜ。みちるは、たまに、それをやるけどさ）

目をみられたくない。そのくせ、むかしからの観察癖《かんさつへき》は、ちっともかわらない。いやな性格だ、と自分でもおもう。ひとのアラさがしがすきなんだから。

「これからは、いっしょに、センターへいくでしょ？」

みちるのことばには、ふくみがある。想のなかのなにものかを、彼が決して外へだすまいとしているものを、彼女はかぎつけたのか？　あるいは……。

「きみが、そうしたいなら」

想は、不意に抱きしめた。みちるは、腕をつっぱねた。

「口紅が、あなたの服につくわ」

わりあいと、スジのとおった文章をしゃべる女だ。主語と述語を、あまり省略しない。

「あ？　うん、ね？　そう。だから、あれがそれなのよ」なんて、ふざけるときはべつだが。そんなとき彼は「ああ、すると、やっぱり、これはああなるんだな。結局、それはあれでもある。でも、あなったら、こまるよね。それ自身が」などと答える。

「ぼくは、十時にでる」

髪を指でちょっとなおし、もう一杯コーヒーをいれた。ひとくちのんでから、みちるのためにも、用意してやる。ふたつの白いマグカップ。

「もう、すぐ」

みちるは、彼とつきあいはじめてから、彼にあわせる努力をした。おおいに。たとえば、いま、こうしてでかけるのに、ぐずぐず時間をかけない、とか。星子だったら、洋服えらびと化粧を休み休みやるだろう。あの女は、三時間かかるかもしれない。これは、もちろん推測だが。

みちるは、あわてずにすばやく、したくしている。顔だちがくっきりしているから、目のふちにほそい線を一本ひいただけで、素顔とはガラッとかわる。化粧は簡単だが、濃くみえるタイプだ。香水をスプレーし、バッグをつかむ。

「いいわ」

十時七分まえ。想は、ポケットのなかの鍵を確認した。

みちるがドアをロックしているあいだ、彼はななめうしろから、婚約者の全身をながめた。やや胴長だな。脚がふとい。腕がみじかい。首はほそすぎるくらいで、オレはとてもすきだ。あと二センチながかったら、文句はない。指がながく、しなやかに白いから、手足は実際より小さくきゃしゃにみえる。着こなしは、まあ合格だろう。わざとスキをみせてるとこなんかが。

エレベーターにのりこむ。みちるが手をさしのべてきた。なにげなく。彼はかるくにぎった。

とびらがあき、ガラスごしに、まばゆい街路がみえた。

「じゃ、わたし」

みちるは、手をふった。彼女は、ふりかえらずに、さっさとあるいていった。

想の勤務先までは、のりかえなし。三つめのステイション。エスカレーターのすいてるほう（速度がゆるい、老人・子供用）にのる。地上にでて三分。

会社の入口のドアには、中央からやや右よりに、ブルーの四角がかがやいている。手をあてる。それが、識別と、同時にタイム・レコーダーの役目をする。訪問者は、内部のだれかの許可なしでは、はいれない。

このしくみは、個人住宅やちいさい事務所では、つかわれていない。厳重すぎて不便だ、と評判はよくない。この街では、大きな犯罪は、あまり起こらないし。

個室にいくまで、だれにもあわなかった。四年つとめているが、一度だって、人間のすがたをみたことはない。

ここで、十時半から午後四時まで、週に四日はたらく。一時間に五分の休憩《きゅうけい》、十二時から四十五分間のお昼休み。

デスクにつくと、目のまえのスクリーンに、複雑な幾何学模様があらわれる。ボタンを操作して、それをならべかえる。するとまた、べつのパターンがでる。ちがう柄《がら》にする。一日じゅう、こればかり。おなじパターンを二度だしてはいけない。そうなると、ブザーが鳴る。疲れているときは、このまちがいを、たびたびやる。

はじめのうちは、なんのための仕事か、疑問をもった。いまでも、わからない。だが、しだいに気にならなくなった。べつのことをかんがえながらでもできるから、かえって楽だ。そのイージーさが、最近では退屈になってきた。

オレは、なにものになりたかったんだろう。少年時代に、夢があったか？　そんなもの、ありはしない。カネのかせげる職業につきたいな、とはおもったが。十五くらいのときは、アーティストにあこがれた。漠然と。絵かきや文章書きではなく、当然ミュージシャンに。なぜやらなかったんだ？才能の問題？　ちがう。

才能のあるなしを自分で確認してから、音楽にとりかかるやつなんて、いない。やってみなきゃ、わからないことだから。してみると、やはり、エモーションか。学生時代に、バンドを組んだことは、ある。あそびでしかなかった。オレには、きっと、なにかが欠けてるんだ。

この仕事には、とっくにあきあきしている。結婚するんだし、と彼は皮肉にかんがえた。配置をかえてもらおう。

で、帰りがけに、そのための届けをタイプした。連絡ポストにほうりこむ。一週間で、返事がくるだろう。おこがましいかもしれないが、彼は、もっとクリエイティブな仕事をしたくなったのだ。ジョブでなくワークを。

会社のまえの舗道に、みちるが立っていた。

「待った？　どのくらい？」

「十二分」

それは、想が届けをつくるために要した時間だ。

「すこし、ブラブラしないか？」

「いいわね。気持ちのいいレストランが、あるのよ。温室そっくりな」

星子のレストラン！

「あそこは、あんまり、よくないよ」

「そう？　あなた、あかるい場所がすきなのにね」

「そのまえに、買い物しよう。きみ、あたらしい服、ほしくない？」

「めずらしいこと、いうわね。あなた、ケチなのに」

みちるは、ニヤニヤした。

「給料、でたんだ」

もう、この女に、うしろめたさを感じている。想は、そんな自分に腹をたてた。それは、数秒でおさまった。いつものやりかたで。

みちるは、要領よく、ひとそろいを買った。更衣室からでてきて、彼のまえでくるりと、ひとまわりしてみせた。人まえもかまわず（人目があるからこそ）抱きついてくる。「ありがと」とかるくキスしてきた。

ブティックをでると、みちるは、例の〝わざとイチャイチャ〟をはじめた。想の首に両腕をまわしてみたり。腕をくんであるきながら、胸をこすりつけてきたり。

これが、いつも突然なので、彼としては困惑する。

「ね、ね、そーゆーことは、密室でおこなうのよ」

想は、みちるの頭をなでて、なだめようとする。

「反対のほうが、オモシロイわ。あなた、はずかしいの？」

「うん、ちょっとね」

「でも、見せ物になって、そーゆー自分を観察するのも、またいいものよ」

「わかってるよ。おれにも、その趣味はあるから。しかし、そのまえに、コンタクト買ったら？ 最近は、目薬状のものが、でてるし。でも、あれは、技術者にさしてもらうんだな。三日ごとぐらいに。めんどくさいな」

「それより、近視をなおす手術、するもん」

「あれは、角膜を、切りきざむんだろ？ 百数十片に。やだな。キモチわるい。きみは、クスリだの手術だの、たいへんすきね」

「だれかさんにいわせると、自己破滅欲求ってことになるわ、きっと。自分を憎むということは、自分をうみだしたもの、すなわち、この世界を憎んでいるんだ、と」

「おれは、いってない」

「そうね」

「きみは、決して、ひきかえさない？」

想は、まじめにつよくたずねた。

「ええ」

みちるは、かるくこたえた。あまりにあっさりと肯定したので、かえって、本心だとわかった。

「そうか」

「知ってるくせに」

「いや、知らないよ、全然。ぼく、あなたのことは、なにひとつわかりません」

「ヒヒヒヒ」

「おい、ケンキョだろ？　おれって」

「ねえ、歌、うたってよ」

「だーめ」

「じゃ、あたしがやる」

みちるは、うたいながら、おどりはじめた。ときおりすれちがう通行人を、彼は気にした。この女は、オレといるとき、ある限定された自由を感じるんだな、とおもいながら。すくなくともそれは、わるいことじゃない。

「恋じゃないから、これは」と、みちるはうたった。パーティーではじめて会った女を、男が猫なで声でくどいてる、という設定。

「なにをしてもいいでしょう?」

恋じゃない。たしかに。双方とも。

「時のながれのすきまから」

みちるは、べつの歌を、フリなしではじめた。「たぶん一度はふりかえり……」

星子が、年老いた母親とあるいているのがみえた。表面的には、とてもなかよく。

「なつかしむ日もあるでしょう」

みちるは、声をバイブレートさせた。星子に気づいていることは、たしかだ。黙殺しているのではない。まして無視なんて。

この女は、自尊心がつよい、とあらためて想は感心した。だから、ガアガア文句をいったり、あばれまわったりしない。嫉妬を、おもてにださない。ストイックに、自分に禁じているのだろう。いじらしい。いじらしい? 想は、自分の感想にびっくりした。女をみて、こんなふうにおもうなんて。はじめてのことだ。オレは、この女に、みずからのぞんで捕獲されたがってるのか? かすかな恐怖がともなう。しかし……まあ、いいや。

想は、みちるの首すじに、指をおいた。なにかいおうとしたが、ことばはでなかった。

星子は、しわだらけで微笑していた。

十代から、いつもいつも厚化粧。寝てるあいだもつけまつげしてるんじゃないか、とおもわせるくらいに。タバコと夜ふかし。そのくせ極端な早起き。母親を寝かしつけてから、あそびにでるから。それらが、おない年の女よりずっとはやく、星子を老けこませたのだ。

トカゲをなまで喰いそうな顔をした母親が、そばに立っている。こちらも、化粧でぬりかためられて。老婆は、人三化七《にんさんばけしち》の境地を、はるかにこえている。まるごと、物怪《もののけ》といっていい。先がとがってたれさがっている段鼻には、イボまでついている。洞窟のなかで、カエルやコウモリや毒草を大なべで煮ながら、呪文でもとなえているほうが、似あう。

午前中の、さわやかな陽にてらされて、この街角に立っているより。

星子が、手まねきした。親しみをこめて。

想は、ふらふらと、ちかづいていった。

「ママ、このひと、知ってる?」

星子は、きげんがいい。もっとも、この三十五年間、彼女がむくれていたなんて、彼の記憶にはないが。

「さあね」

魔女もどきの老婆は、口をみにくい形にまげた。

「彼、とってもセクシーな美少年だったのよ。そりゃあ、キレイだったのよォ。つい、このあいだまで」

星子は、うっとりと、首をふった。想に向きなおって「どーして、そんなふうに、中年みたいになっちゃったの？　アッというまに。先週まで十八歳だったのに」

想は、こたえられない。だまっているしかない。星子の場合、なにをいっても、皮肉やからかいではない。始末にわるい。星子は、純真にすぎる。それは罪だ。

「おまえは」と、母親は、想を無視して、娘を、ひたとにらみつけた。しっかりした、よくとおる声だ。「いつだって、若い男を相手にして。カネだして——バカにされてるのが、まだわかんないのかい？」

星子は、母親との心理的交流など、一度もなかったに、ちがいない。いまも、本心から、気にならない、という顔をしている。母親のことばのとちゅうから、彼に上体をかたむけかけてきた。

「おひまだったら、なにか、のみましょ」

若い娘のように、首をかしげた。

「あたしゃ、かえるよ」

母親は、宣言した。星子は、うなずいた。彼をふりかえって「わるいけど、うちまで寄ってくれる？　すぐそこだから」

星子は、母親にさしかけていた日傘を、彼におしつけた。想は、老婆を直射日光からまもる役を、おとなしくひきうけた。お肌のためじゃなくて、これは彼女たちの習慣らしい。

じょうぶそうなバアさんが、先頭にたった。星子と想は、そのお供というかたちになった。

星子は、白い綿レースの手袋をしている。それも、ひじちかくまである長さの——花嫁みたいなシロモノ。こっけいなほど、似あわない。なみだがでるくらい。

むかしのおもかげはすっかりなくなってしまった。想は、ふかいかなしみのなかから、そうおもった。この女が小妖精だったなんて、いまではだれが知る？

しかし、星子は、外界や、ましてや自身の見た目の変化には、まったく興味がないようだ。星子はいつもおなじ時間、おなじ瞬間のなかで、生きている。孤独に苦しめられることなく。というより、彼女そのものが孤独を具現していながら、そんな意識はまるでなく。

星子は、なにも知らない。俗物にいわせれば「人生についてのおどろくべき無知」を平然とさらしている、ということになるのだろう。だが、想には「彼女は、なにもかも知っている」という、理由のない確信がある。子供のころ、それをつよく感じた。ほかの女にかまけているあいだは（元気いっぱいのときは）そうでもなかった。そして、ふたたび。いまとなっては。

「ママは、これからお昼寝するの」

星子は、彼に顔をむけた。

「うるさいねえ！　よけいなこと、いうんじゃないよ！　この低能女！」

母親はふりかえらずに、前方にむかってどなった。スミレ（という名前だっけ。ひでえな、こりゃ）は、星子とは対照的に、絶えずいらだっている。この世界全部を、勝手に敵にまわしているのだ。

スミレと星子の部屋があるブロックについたらしい。母親は、とびらに手をあてた。ドアがひらいた。

想は、星子に日傘をわたした。彼らは舗道に、カカシさながら立ちつくして、老婆がきえていくのをながめていた。

「どこへいきましょう」

星子は、にっこりした。しわのあいだにファンデーションがよれてかたまってできたスジが、葉脈のようにうかびあがった。皮膚はガサガサで、かくしようのないしみが、いくつかすけてみえる。

「ぼくの部屋へ、きませんか」

いまさら、下心がないからこそ。

「奥さんは？」

「……わかれた」

「まあ」

星子は、まばたきをくりかえした。上体をたおしてきたので、日傘がゆれた。「どうして？」

質問の調子が、じつに素朴だ。それについては口をつぐんでいた彼も、反射的にしゃべりだすぐらいに。

「みちるは、ぼくを愛していなかった。だんだん、愛せなくなったんだとおもう……知らなかった。そんなことは」

だれにも、いえなかったし、いわなかった。星子を、半狂人として一方では軽蔑しているから、口にだせるのだろうか。星子は口外しない。わかっている。

「あまりに、みちるが寛容だったから、すべてをみとめてもらえてると、安心していたんだ。ぬけぬけと」

どこかとおくで、正午を知らせるチャイムが鳴った。のんびりと。

「で、あなたは?」

星子は、身をよせてくる。これは、いつから獲得したくせなのだろうか。そのやりかたが、おかしなことに、ひどく上品にみえる。

「ぼくは、愛していたよ。自分でも、いまだに信じられないけど。ひとを愛する能力なんてないって、二十八まで確信してた。うれしかった。その大前提は、かなり気楽なものだったよ。女の子に執着できない、ってことは、苦しまなくてもすむから。かなり、さっぱりした状態でしょ。ああ、でも、執着ともちがうんだな。みちるに抱いていたおもいは」

星子は、わかるだろう。でも、わからないだろう。どっちでも、いい。

ふたりは、想の部屋にむかって、ゆっくりあるいていく。

「ほんとは、彼女に全面的に寄りかかっていたんだ。ながいこと、その事実に、気がつかなかったけど。みちるだったら、どんなひどいことをしても、どんないやしいことをしても、気にしないどころか、理解してくれる、と決めつけていた。おもいあがっていたんだ。たしかに、わかってたみたい。ぼく自身よりずっとふかく、ぼくのことを知ってた。おれが知らなかったことまで。でも、それと、その事実をうけいれる、ってことは、また別問題なんだな」

「まあ」

「ぼくは、女の子にとてもモテたし、ルックスも頭の中身も人並み以上だったからね……そして、ぼくは実際、陰険でずるがしこい方法で、彼女を利用してたんだよ。あまくみて。どうせ、おれから、はなれられやしないって。タカをくくっていた――でも、もうひとつわかんないことがあるんだよ。なぜ、彼女は、いっちまったのかな。あんな生活でも、けっこう満足してたはずなのに。だって、みちるは、結婚して三年たつと、もうなんにも期待なんかもたなくなったんだから。苦しみもなかった、とおもう。ものすごいひどい、あきらめのなかで、かえってあかるくなったぐらいだったのに」

「まあ」と、もう一度、星子はいった。それ以上はだまっている。だまって、彼に身をよせてくる。このひとは、いつまでたってもお嬢さんなんだな、と想はおもった。

「一時期、離人症だった。時間が、ふつうにつながらない。こまぎれなんだよ。みじんぎり。たくさんの『いま』が、とんでくる。そのいまは、すぐにとび去る。いま、いま、いま、がおそろしいはやさで、とびかかってくる。ぼくの、いまは、即座にきえうせる。それが過去にならない。時間は、ほんのちょっぴりも、定着しない。決して。目もくらむような感覚だった。実際、いつもいつも頭がくらくらしていた。ぼくには、セツナしかなかった。瞬間しかなかった。ぼくは、時間を完全にうしなっていた。おそろしい、不連続な、瞬間の針に、絶えまなく突き刺されていた。それは、もうなおったけど——あんなに苦しいおもいをしたことは、それまでなかった。三十すぎても、はじめてのことって、あるんだな。

ほとんどの人間は、まったく意に介さず、しっかりと固有の時間をもってる。所有してる。なんてすごいぜいたくなんだ、とそのときのぼくはおもった。時間をうしなうってことは、世界をもうしなうことだ。世界と自身が、同時に崩壊する。

きみをみてると、時間を内包してる感じがする。きみのなかに、すべてのものごとの、はじまりとおわりがある。だから、安心するんだな、おれは。そばにいると」

星子は、心配そうに想をみまもっている。半狂人？　そうかもしれない。それでいい。星子のしずかな狂気、じょじょに完成にちかづいている偉大な古典的な狂気は、クロノスからあたえられたものだ。

星子のなかでは、なにもかもが、ごく自然におさまっている。彼女は、無理なんかしていない。これほどゆがんでいながら、それでいてナチュラルなのだ。

「いまでも、愛している?」

星子は、まえをむいたまま、やわらかくたずねた。無関心みたいに。

「いまでも」

想は、なさけない気持ちで強調した。そんなことは、ながいあいだ、かんがえたことがなかったから。みちるが去っていくまで。

想は、唐突に泣きたくなった。一年まえ、みちるがいなくなって以来、感情を喪失していたのに。彼は一度だって、泣かなかった。泣けなかった。わるい徴候だ。泣けたら、ずっと楽だったろうに。

ふたりは、スカイ・ハイについた。

みちるの想い出は、エレベーターにのっているあいだも、想を苦しめた。あのころ、彼はずうずうしいほど、なにも知らなかった。みちるはいつもおなじように快活だった。自分を、たえずはげましていた。ほとんど、悲惨なまでに快活だった。

想は叫んだ。叫びつづけた。

星子は、たたんだかさをわきにはさんで、立っていた。彼のからだにふれることなく。だまりこくって。「保留」のボタンを、押しつづけて。

どのくらい、それがつづいたかは、わからない。

彼は、叫ぶのをやめた。のどがかれて、ひどく痛んだ。

星子は、ボタンから指をはなした。放心した彼をのせて、エレベーターは上昇していった。

部屋の一方の壁には、黒い円型のシェードをかぶせた、赤いネオン・サインが、しずかにともっていた。

星子は、だらしなく品よく、椅子にすわった。

「愛する、ってどういうことか、わかってたの?」

おさないすなおな声で、星子はたずねた。

「あのとき(星子の知らない事件があったとき)はじめて、わかった。みちるは、まだ、ここにいた」

想は、叫びすぎたあとの、しわがれ声でこたえた。その詳細を語る気にはならない。

「わたしには、わからない」

星子は、モノローグをはじめた。「自分でわかっているのかいないのか、わかんない。ただ、みんな、いっちゃうのよ。なんにもいわずに。みんな、だれでも、街をでていくんだわ。順番がくると」

それは、星子がでっちあげた妄想だろう。確信にみちた、安定したしゃべりかただが。

「あなたの奥さんも、この街をでていったのでしょう?」

「そうね」

彼はあいまいな返事をした。

「どこへいったのかは、あなたには、わからない」

星子は断定した。

「わからない。わからなくてもいい。わかったって、どうしようもない」

彼は、なげやりにいった。

「あのひとは、きっとおもいだすでしょう。時間のすきまから、ふりかえって。一度は。この街のことを。あなたのことを」

「そうかもしれない。そうでないかもしれない」

彼は、とげとげしい口をきいた。どっちにしたって、おなじことだ。

「でも、それは、大事なことよ」

想は「ふん」といった。さっきまで、星子によって、すくわれていたはずなのに。

そんなおかしな予言や解説が、なんの役にたつというのだ。うるさい。

想は自分の身勝手さを、つよく感じた。これは、死ぬまでなおらないだろう。

「いまに、あなたも。気がつくわ」

星子は、ぼんやりと。

はやくでていってくれ。この女とは、どんなふうにしても、ズレを感じる。それも、ふつうのバカ女に感じる、例のおなじみのスキマとはちがう。だいたい、星子自身が、コミュニケーションをのぞんでいないのだから。そんな概念は、彼女のなかには、まるっきりないのだから。

星子は、ソファーにあさくすわって、両脚を投げだしている。少女のような姿勢だ。皮膚と肉は、たるんでいるというのに。からだの線を露骨にだすサテンは、ウエストでうちあわせてあるだけ。生地は黄ばんでいる。巻きスカートから、まがったひからびた脚がみえる。そんなスタイルをするにしては、いまの星子の脚は、みにくくほそすぎる。

その白かったドレスを、三十年まえにみた、という記憶がある。二十歳の彼女がそれを着て、男の子とわらいあっていた。ありありと、絵がうかんできた。あざやかすぎるくらいに。だから、これは、彼がつくりあげたイメージなのかもしれない。

化粧も、あのころと、まったくちがわない。ひかりのかげんで、金と銀に変化するアイシャドウは、ギャラクシーみたい。

星子はみにくい。

だが、想は感動もしていた。このみにくさが、女の本物の美しさではないか、とおもえてきた。オレがホモだったら、もっとはやく気がついてたかもしれねえな。女を冷静に観察できただろうから。

「なにか、のむ?」

やっとのことでおちついて、彼はやさしくなれた。声は、まだかすれている。

「ええ」

「コーヒー？　紅茶？　ミルクとジュースもある」

「コーヒーおねがい」

想は、パーコレーターをセットした。三分で、二人まえのコーヒーが、カップにそそがれてでてきた。

星子は従順な子供みたいに、手わたされたコーヒーをのんだ。

想は、壁のネオン・サインをながめた。

みちるは去った。彼女は、この街をでた。どこか、べつの街にいるだろう。今度こそは、安全に幸福に。

ほんとに、そうか？　彼女は、死んでしまったのではないか？　この世の、どこにもいないとしたら……。

想は、しだいにひろがるインキのしみのような疑惑に耐えた。消えいりそうに呼吸しはじめた、よわよわしい赤い光をながめながら。

48歳・60歳

街をでるときがきた。いま。

目ざめたとき、不意に確信したのだ。そうか。だれでも、いつかは、街をでていくのだ。そのときになって、気がつくのだ。

この街は、もう、彼を必要としない。想も、この街に用はない。すべてをなくしたのだから。

ママは、三週間まえに死んだ。想は、ちょっと泣いた。あまりにながいあいだ、わすれていたから。

みちるのことは、いまでもときおり、おもいだす。

仕事は、鏡子の死をしおに、多少はおしまれながら、やめた。

街をでる。

想は、コーヒーを三杯のみ、タバコを二本すった。

ベッドをでて、ふだんのシャツに着がえた。家事をやってくれる女性は、あと二時間でくる。ドアの内側に、家政婦への伝言をはりつけた。サイフにあっただけのキャッシュを、小銭だけのこし、紙袋にいれた。ナイトテーブルにおいておく。給料は、毎月、彼女の口座にふりこんでいる。これは、だから、せめてもの心づけだ。

ロボットは、やとわなかった。あれは不器用で大ざっぱだから。そのくせ、すぐこわれる。ひとりになって以来、ずっとおなじ家政婦にきてもらっている。死んだママと同世代のひとだが、精神的に安定しているところが気にいってた。

以前の想だったら、まよわずロボットをえらんだだろう。

想はもともと、手づくりのものや、ひとの手のあたたかみの残っているものが、大きらいなのだから。怨念がこもっているようで。既製品の美しさには、いまでも、ひかれる。規格どおりの品物が、大量にでまわるから、きれいなのだ。

部屋のそうじを人間にやってもらうようになったのは、彼が老いたからだろうか。

午後三時。

なんて時間に起きるんだ。

人間は、いくらでも怠惰になれる。なまけられる。ずるずると。しかも、そんな状態は、決してたのしくはない。

外は、さわやかな、あかるい午後だった。想は、ミラーのサングラスをかけた。

想は、いつもの通りを、逆にあるいていった。そんなことは、生まれてはじめてだ。一方向にしか歩いたことがなかった。風景が、ひどく新鮮にみえた。

角をまがると、例のいつものレストラン。きょうは、ガラスが妙にキラキラひかっている。星子はそして、いつものテーブルにいた。ひとりで。

星子の老母（スミレさん！）は、それがいつかは知らないが、死んだみたいだ。星子が男の子といっしょにいる回数も、めっきりへった。ここ十年ばかり、ほとんどひとりでいる。不幸そうには、みえない。

想は、そこをとおりすぎた。

あてはない。だが、こうして反対にむかってあるいていけば、いつかは街の外へでられるだろう。

彼はミラーのグラスをはずし、胸ポケットにしまいこんだ。

空は、ふしぎなむらさき色をしている。まがまがしくも、うつくしい。建物はすべて、うすっぺらに、芝居の書割りのようにみえる。

いつか、こんな日がくる。

非現実の風景のなかで、想は気がついた。きょうのこの午後を、予想していたことに。

みんな、だれでも、いつかは街をでていくのだ。年齢や状況は、それぞれちがうけれど。なにかしら、順不同の順番があって。それは（おそらく）あらかじめ、決められていたことなのだろう。だれにも教えられることなく、ある朝、気がつく。自分の番がめぐってきた、ということに。

みちるも、気づいたにちがいない。あかるい絶望感を知った朝に。だから、なにもいわず、ひとりでいってしまったのだ。いま、やっとわかった。

想は、何年かまえから、そのあかるい絶望のなかに住んでいた。人生に期待も希望もない。かといって、真夜中に両手で髪をかきむしるような、そんな十九世紀的暗い絶望とはちがう。そんなのは、苦悩することが趣味でもあり生きがいでもあるやつらに、まかせておけばいいのだ。なげきかなしみ、ため息ばかりついている連中は、最後まで街にのこるだろう。「時間」についてなんか、決してかんがえないだろうから。

想は、なにも持っていない。なにも待っていない。なにものも、向こうからは、やってきやしないのだ。だから、こうして、街をでる。

ふと、叫びがきこえた。

星子が、片腕をまっすぐにのばし、手をいっぱいにひろげて、はしってくる。通りの向こうから。ハイヒールとミニドレス。髪には白いリボンをヒラヒラさせて。星子は、うれしそうにわらい、無邪気に叫びながら、はしってくる。

だれかを追っているのだ。不在のだれかを。だれの目にもみえない存在を。そのだれかは、立ちどまって、星子を待っている。

ああ、とうとう。星子は、決定的に発狂したんだ。そうおもっても、想はなにも感じなかった。星子が、幸福そのものの顔になっているのをみても。

男の子たちは、いくらカネをつまれても、もう星子の相手をしてくれなくなった。そんな状況が、しだいに形成されていった幻想と交錯していった。いま、まぼろしは完璧に、できあがった。星子は去っていく。はしりこんでいく。永遠の水辺へ。

想は、角をまがった。

星子のあかるい叫び声が、頭のうしろにのこっている。不快ではない。

星子とも、これでまったく無関係になってしまった。そして彼は、そのことに、さしてびっくりもしていない。あんなにながいあいだ、奇妙な感情をいだいていたのに。

街はあかるく、あたたかい。

なにも知らないひとたちが、気持ちよさそうにあるいている。彼らは、あの不気味な空の色に、気づかないのだろうか。感じないのか。まだ順番がこないから。

彼を拒否しているよそよそしい風景に、想は郷愁に似たものを感じた。

オレは、いつ帰るんだろう。この街にかえることはあるまい、とはおもうが。だとしたら、いつふりかえるのだろう。そのとき、なにがみえるだろう。

想は、この街に、なにものこさなかった。あとには、なんにも、のこらなかった。だれも、そのわけなんか、はなせやしないのだ。だれのせいでもないのだから。ふりかえったとて、なんになろう。それでも、ひとは、一度はふりかえるにちがいない。

人びとは、おとなしくあかるく、じつになんでもなく暮らしている。騒音にみち、それでいてしずまりかえっているこの街で。それぞれが、孤立しながら、それと気づかずに。退屈しきっているのに、たのしいとおもいこんで。

想は目をあげた。

ビルの三階の壁に、ふしぎな形のイルミネーションがあった。それは「ここが、この街の出口です」

と、やさしく合図していた。文字や形で、それをおしえたわけではない。夢のなかのできごととおなじように、想は意味不明のしるしから、それを理解したのだ。どうして、いままで、これに気づかなかったんだろう。街ができたときから、ここにあったのに。みんな、このシンボルにみちびかれて、でていくというのに。

想は、ため息をひとつ、ついた。

内部には、もうなにもない。うらみも心のこりも、暗さも。

彼は、街の外へ。あたらしい、似たような街へ。

そして、彼女は、幻想のなかへ。

あまいお話

はじめて彼を見たのは、渋谷駅ちかくの電話ボックスで、それというのもわたしが痴漢に追いかけられたからだ。

当時のわたしは、いまよりずっときれいでかわいらしく（もちろん！）、その年齢にふさわしい不良性があった。世界中の男の気をひきたい、みたいな意識でいっぱいだった。だからアバズレふうといっても、たいしたことはなく、上下三枚のつけまつげと前に深いスリットがあるタイトスカート、十三センチのハイヒールでくねくねあるくのが、せいいっぱい。友だちは、わたしのことを、「金髪オバケ」とよんでいた。それでも駅のまわりを一周すると、かならず七人以上の男に声をかけられた。いちばん多くて十四人。

「ねえ、ちょっとお茶でものまない？」
たいていは、おずおずとこんな調子。（ひっかけやすい女とおもって、みくびってやがる）男の視線をあつめたいくせに、わたしはそんなふうにおもう。同時に、軽蔑と奇妙な怒りに似たものをあじわう。（あたしゃ、そんな女じゃないよ。まあ、そこいらで立ちんぼうしてて、せいぜい根気よく別口でもあさるんだね）

で、わたしは（ふん）という感じに鼻先をあげて、さらに気どりに気どって、脚をはやめるのだった。

その日は、いつものようには、いかなかった。

かなりしつこく、うす気味わるかった。そいつは、いつまでもいつまでも、くっついてくるのだ。
「よう、ねえちゃん、つきあえよ。三十分でいいからさ」なんぞといいながら、お気楽そうにしんぼうづよく追ってくる。目だけはガラス製みたいに無表情で。

速足になっても、かけだしても、喫茶店へはいっても、あきらめる気配がない。わたしは東映のまえを走りぬけ、電話ボックスに逃げこんだ。一一〇番しよう、とおもった。けっこう気がよわかったんだな。

先客がいた。彼に気づかなかったのは、バワリー街の浮浪者よろしく、なえきったような姿勢ですわりこんでいたからだ。わたしがドアをあけると、ゆっくりと顔をあげた。夕暮れのなかで、生気のない白目がちが、侵入者をじっとみつめた。

「あのねえ」

わたしは、例のごとく、バカ声をはりあげた。

「電話つかいたいの。わるいけど」

反応なし。

砂色の瞳は、幼児がはじめて外界を認識したときのように、突如とびこんできた女の子を（そのころのわたしは、女ではなくて、まだ女の子だった）熱心にながめまわす。

「どいてくれない？　それとも、あんたが、あの男を追っぱらってくれるっていうわけ？」

わたしはがなりたてた。

かんしゃくをおこして、またしてもそこをとびだし、気ちがいじみた高さのヒールをものともせず走りに走った。トレーニングパンツだったわけじゃないから、すぐに息切れをおこし、歩道橋の下で立ちどまった。靴がこわれそうな気もして。

ふりかえると痴漢はいない。

かわりに、電話ボックスの男が、恐怖映画でよくみるみたいに、おどろくほどちかくに迫っていた。

わたしは、ギャッとちいさな悲鳴をあげた。

彼はしずかに、いくらかふしぎそうな顔をして、そこに立ちつくしていた。

「どうしたの？」

見知らぬ男は、まのびした声でたずねた。

「だって……ただ、びっくりしただけよ」

小声でこたえてから、ようやく相手の全体をながめまわした。（へんなひとだなあ）とおもった。まず、年齢不詳だ。十五歳から四十歳のあいだ、としかいえない。少年ぽいくせに、じいさんくさい。顔色がひどくわるいのだが、どす黒いというより、むしろみどりいろがかっている。髪は、褐色にみどりがまじったような奇妙な色で、ほこりっぽい。だぶだぶのTシャツに、これまたからだにあわないズボンは長すぎるので、すそが靴のうえでしわになっている。

安っぽい芝居からぬけだしたようなスタイルだ。顔やすがたは、ハーフみたいにもみえる。それも、どこかとの混血か、見当もつかない。アイシャドウしているのかな、とさぐるようにみつめたが、素顔のようだ。

「ひとりでおうちへかえれる？」

彼は、ほんとうに心配しているような顔と声とで、ふたたびたずねた。「つまりさ、あなたは、こんな世界で、やっていけるんだろうか、なんておもっちゃったんだよ。ひとりぼっちで、この世界を生きていけるんだろうか、なんてね。まちがってたら、ごめんよ。でも、そんな気がしたもんでね」

なんて、おかしなことをいうひとだろう。わたしは、ぼんやりと立ちつくしていた。

「おくっていってあげるよ」

彼は、なにげなくわたしの肩に手をかけた。危険性はないようだ。それに、上心も下心も感じられない。

しかたがないから、ほかに方法もかんがえつかなかったから、わたしはあるきはじめた。奇妙な男は、ならんであるいた。わたしは、遠慮もなにもなく、彼をジロジロ観察した。

ふつうの男みたいに、みえないこともない。しかし、どこかおかしい。どこが、といわれてもとっさには指摘できないけれど。

彼はポケットに手をつっこみ、紙クズを道にすてた。と、おもったら、それはくしゃくしゃにまるめられた何枚かの一万円札だった。

わたしは立ちどまった。

「あんた、石油王のかくし子?」

皮肉のつもりである。いかにもみえすいている。金持ちであるにしてもないにしても、その動作はわざとらしい。

「いや、ちがうよ」

「だったら、オカネ、ひろいなさいよ。いやったらしいわ」

「ああ……つい、うっかりしてた。わすれるとこだった。こんなつもりじゃなかったんだけどね」

これは、白痴のセンにちかいのかもしれない。まあ、そんなことは、どうでもいいや。いまのところは、おとなしいし。おそってきたとしたら、それはそのときのことだ。

明治通りと表参道との交差点まできた。

「ここでいいわ」

わたしは、彼にちいさく手をふった。「だいじょうぶよ。あとは、ひとりでかえれるから、どうもありがと」

彼を信号のところに立たせたまま、八角亭の角をまがった。なにも、アパートの所在をおしえることはない。

そのころのわたしには、女友だちがいっぱいいた。わたしは女の子のほうが、すきだ。(レズビアンは例外として)女の子は、男ほどこわくない。どうやら、男性恐怖症の気《け》があったみたい。女の子に対してなら、いくらでもやさしく親身になってあげることができる。共感できる。まだコドモだったわたしは、女学生の友的雰囲気にひたるのが、不快ではなかった。

男友だちも数人いた。何年もつきあうと、きょうだいみたいになって、それがよかった。男の子というものは、おもいがけない視点からモノをみるし、さっぱりしている。発想が新鮮なところがいいのであって、だから頭のいい人物でなければ、男友だちのリストには載らない。モノの見かたという点では、オカマも大歓迎で、異母姉妹みたいに仲のいいひとがいた。気軽にしゃべったり、散歩したりする相手には、こと欠かなかったわけだ。

恋人らしき男とわかれてから、半年以上になる。わたしはあまりにも若すぎて、相手を買いかぶっていたのだ。

わたしは、たいていの男には、ちょっとほれられた。

男族は、はじめのうちは、みんなわたしにほれるのだ。これは、どんな女だって、そうだとおもう。若くて容貌がおとろえていないうちは、たいていの女の子が、もてでもててこまる。二十三か四ぐらいまで、それがつづく。特別な魅力があるなしにかかわらず。ましてや外見がはでか、あるいははでなくても目立つようなら、よけいに。わたしはみんなにやさしく親切にして、おおいにいい気分だった。だが、男と寝たいとはおもわなかったし、同棲なんて不潔きわまるものは受けつけたくなかった。そして、最後の最後まで、自分のものとして守っていた心の一領域は、だれにもみせようとしなかった。これだけは、だれにもうちあけまい、とおもったわけではない。だれも理解してはくれない、というあきらめが先にたっていた。

わたしはサービス精神旺盛で、かなり陽気だった。ときにバカさわぎをやった。だが、自分の神経があまりにもよわいことを知っていたために、いつでもさびしかった。結婚したくなかったけど、結婚したいような気になったりした。

真夜中に、ひとりの部屋で、発作的に泣くことがあった。ダレモ、ワタシヲ、ワカッテクレナイ。おそらく、わたしは本物の愛情というものを知らなかったし、「すき」ということがどんなことか、わかってはいなかったのだ。そのくせ、憎みあいながらも離れられない関係というものを好むような傾向があった。おたがいにはだかになれる相手がほしかったのだ。血みどろの夫婦愛。『ヴァージニア・ウルフなんかこわくない』を何度もよみかえしたりして。

ドアをしめ、足の拷問具みたいな靴をぬぎすてて、ベッドまであるきながら服をぬいだ。レコードをえらぶのもめんどうくさく、シングル盤のタイトルもみないで、針をおいた。『ジャニー・ギター』だった。おお、ジャニーよ、もういちどギターをひいておくれ、なんていやらしい。あたしのからだをいじって、っていってるんだ。いいなあ。

タバコをすい、半分はだかでベッドに横たわり、紅茶でもいれようかとおもった。タバコをもみけし、顔をあげたとたん、わたしはこおりついた。電話ボックスの男が、ドアによりかかっていたからだ。

口をパクパクさせているわたしに向かって、男はしずかにいった。「その音楽、もういちど、ききたいな」

いわれるままに針をもどした。あまったるいメロディーがながれる。

「あんた、どこからはいってきたの?」

やっとのことで、わたしは声をだした。ドアには内鍵がかかっていた。窓はしまっていたし、カーテンがゆれたような気配もない。わたしは窓のほうを向いていたのだ。

「どこからって……ここから」

男は、ドアをしめした。

「だって、ロックしてあった……まさか、壁ぬけ人間じゃあるまいし」

「いや、その方法はとっていない……だいいち失礼だし」

「他人の部屋にだまってはいるほうが、よっぽど失礼よ！」

カッとなったために、わたしは彼のことばのイミを深くかんがえようともしなかった。

「……だけど、いるとこがないんです……最初の計画では、ちゃんと基地をつくり……いや、ぼくは宿なしなんです」

「おかわいそうに」

どうせ、ヘアピンかなにかで、こそ泥のまねでもしたんだろう。

「信じてくれないんですね」

彼の声は、あくまでもしずかだ。

「あたりまえよ。でてって、ちょうだい。はやく！」

「いくとこがないんです。いまのところ」

彼は手にした大型の黒皮バッグを、床においた。カメラ・ケースみたいにもみえたが、それにしては形がおかしい。楽器でもはいっているのか。とにかく、機械類らしいことは見当がついた。

「だって、ここはわたしの部屋よ！」

「ええ」

「まあ、そこへおすわりなさい」

しぶしぶのつもりだったが、彼はじつにうれしそうにわらった。この男の表情らしきものをみたのは、これがはじめてだ。

この場をとりつくろおうと、新聞を手にした。「ニュース特報部」のページをひらくと「またしても円盤さわぎ」という見出しが、目についた。わたしはそれをそのまま、声にだしてよんだ。

「みせて」

彼がいった。わたしは、手わたしした。彼は椅子からベッドにうつって、ずうずうしくもそこへ腰かけた。

自分でもにぶいとおもうのだが、そのころになってようやくわたしは、パジャマに手をのばした。他人にはだかをみせるのは好きでもきらいでもないけれど、おどろきのあまり、半裸であることをずっとわすれていたのだ。

彼は（そんなに新聞がめずらしいか）とおもえるような顔で、くいいるようによんでいる。

「神奈川県のほうでしょう？　山んなかに円形の焼けこげをみつけたとか。砂浜に着陸したほうが楽なのにねえ。見つかりやすいから、やばいのかしら？　それにしても、古代史とかＵＦＯとか、ようするに単なるブームじゃないの？」

余裕がでてきたわたしは、ひとりでしゃべった。彼は深刻そうに記事を目で追っている。

「ねえ、そんなの、インチキでしょう？　でっちあげのネタじゃない？」

レコードは自動的にとまっている。

「日本語って、むずかしいな」

彼は大まじめにいった。

「ハハハ」

つまらない冗談に、わたしは妥協的にわらった。

「それに、この記事は、不正確だ」

「そうでしょ、そうでしょ」

彼はページをくって、ながながと新聞をよんでいる。

「あんた、なんて名前？」

わたしは、ハスッパふうに、脚をくみなおした。

「サワダケンジ」

「え？」

ふとのぞくと、彼がながめているのは、芸能欄だ。ジュリーが、どうしたとかこうしたとか。

「なるほど」

わたしは、ひとりでうれしがった。どうやら、この男が気にいってきたみたい。彼には妙にひとを（女を、というべきか）ひきつけるところがある。さっきの笑顔をおもいだしてみる。まるで輝くようだった。むしろ、ぶ男に属するほうだけれど、あの微笑にはだれだってまいってしまうにちがいない。

それに……なんといったらいいのか、彼のからだからは、電気のようなものが発せられているにちがいない。おかしい、と口のなかでつぶやいてみる。なんとなく、抱かれたくなってしまったのだ。それは、彼のにおいのせいだろうか。体臭とはいえないかもしれないが、むかつくような性的な雰囲気が部屋の空気をよごしている。

サワダケンジがベッドには入ってきたとき、わたしはもう、なにをされてもいいような気分になっていた。彼はなにもしない。うえを向いて、メイソウにふけっているようなポーズをつづけている。わたしはアンアンをよみ、西田佐知子をきき、紅茶をのみ、タバコをすい、美容体操のまねごとをし、ねまきをもっと挑発的な型のものに着がえ、顔をパフではたき、爪をみがき、せっかくマニュキアをしたその爪をかみ、やおらあくびをし、ねむるふりをして、そのままじっと横たわり、目をとじた。

「あなたホモ？」

二十分後に目をひらいたわたしは、がっかりしていた。

「ホモって、なに？　単一のって、イミ？」

彼は頭の下でくんでいた両手を、機械人形みたいなすごい勢いで、バッと解放した。指先がわたしの髪にふれた。

「あ、ごめん」

あやまらなくてもいいことを、あやまる。彼は起きあがり、例のバッグをのぞきこんだ。ながいあいだ、なにかをいじっている。タイプをたたいているのか？　通信装置でも組みたてているのか。

そのうちわたしはほんとうにねむくなった。


いとも簡単に、恋におちた。

彼は、三日ばかりいなくなったり、一日中寝そべっていたり、深夜窓ガラスをたたいてはいりこんできては、わけのわからない機械類をいじったり、両手いっぱいに哲学書をかかえてよみふけったりしていた。

「抱っこして」とわたしはいう。すると彼は、朝まで抱いてくれる。ときおり髪をなでたり背中をさすったり。着がえるとき盗み見したところによると、あるべきところにあるべきものが、ちゃんとついている。それなのに、決して性行為には移行しない。

「どうしてなの?」とわたしはたずねる。(もしかしたら、アレがすごくちいさいから、そのコンプレックスで、なんにもできないのかもしれない)とはおもうが、さすがに口にだしたりはしない。彼のその部分は、退化したみたいに、極小未熟児なのだ。

「あなたがすきだ」

彼は、深刻を絵にかいた、という顔で告白した。わたしは「おおっ!」と芝居がかった声をあげ、ロメオとジュリエットふうなポーズをとってみせた。

「信じてないね? だけど、ほんとのことをいおう。ぼくは、この星の人間じゃないんだ」

「ああ、そうですか」

わたしは棒よみ。

「ある任務をおびて、ここへやってきた。不時着で、仲間の半分は死んだ。ぼくは命ぜられた仕事をつづけなければならない。だけど、もういやになってきてるんだよ」

「どうしてですか」

こちらは、うわの空。

「わかってくれないの? 決まってるじゃないか? あなたがすきだから」

「どうもありがと」

「その任務というのは、ひとつは、この星の調査だ。あらゆる情報をかきあつめて、この星の歴史、政治、それからいちばん大事なことは人間のものの考え方や性質、特に感情の動きなんかを分析する」

「たいへんですね」

「総体としてつかまえるにはね。おどろいたことには、この星の人間は、それぞれみんな感情や気分、つまり情緒のもち方に差があるということだ。ぼくの星ではちがう。みんな、おんなじだ。そのほうが、人類全体のためになる。死ぬべき人間は死ぬべきだし、本人も承知する。つまり、戦争なんか、起こらないんだ。それは、ながいあいだの研究の成果で、副作用のない薬物を、みんなが服用した結果だ。クスリは、遺伝子にも影響する。原始本能は衰退していった。野蛮なことすべてが、悪としてほうむり去られた」

「ひと殺しって、野蛮じゃないの?」

わたしは、多少の憎悪をふくめて、問いかけた。

「殺人じゃない。本人もそれを希望するように……つまり、その仕向けられていったんだ……」

彼は「沈痛な面持ちで」とでも形容したいような顔で、しずかにつぶやいた。

「それでも、薬物の影響を受けない突然変異がでることがある。ある年齢に達すると、あらゆる検査をうける。ここの星の人間みたいに、バクチや酒やカネや物欲といったものが、ときおりむきだしになるやつがでてくる。すると、収容所いきだ」

この男は、気ちがいじゃないだろうか。

「それよりもっと大事なことは、ぼくの星には恋愛といったものは、めずらしいんだよ。ぼくも、いまのいままで、恋愛感情ってものがわからなかった。この星にきて、あなたとあうまではね。ぼくの故郷では年頃になれば、それはみんな、いちおう恋みたいなものはする。国家で決められた相手とね。そして、けんかもせずに、つがいで仲よく人生をおえるというわけさ。しかし、そんなのはほんとうに『すき』といえるようなものじゃない……ぼくにも、決められた相手がいた。いまでも、待っているだろう。あとすこししたら、結婚するつもりだった。結婚制度は、国家をまとめるために、じつに便利なものだからね」

彼はおそらく、精神病院から脱走してきたにちがいない。SFマニアという気ちがいだって、いるだろう。

「アイだのコイだのいいますけどね。そんなの、この星にだって、めずらしいんだよ。女性週刊誌は毎号特集してるよ。世渡り的テクニックの俗臭ふんぷんたるアイをさ」

「……だけど、それは、まちがっていたんだ。つまり、ぼくの星みたいに、人間の原始的な欲望や感情をおさえつけ、コントロールするってことは。ぼくはどうやら、検査もれの、突然変異らしい。いままで気がつかなかったけど」

「あーら、ずいぶん、ウスボンヤリ」

うんざりして、わたしはタバコに手をのばした。そういえば、この男は、タバコをすわない。睡眠時間も、ずいぶんみじかいみたいだし……もしかしたら……。

「あなたは、ごく軽い気持ちでしか、ぼくのことをかんがえてないよ。いまは」

「そんなことはない」

否定しながらも、自信がなかった。わたしはいつでも、男にほれたふりをする。ゲームがたのしいから。だけど、今度の場合はちがう。なぜって、彼の電気みたいなものが……。

「あなたがもってる感情なんて、感情とはいえないのさ。気分ぐらいなもんだよ。だって、ほかの女の子だって、みんなそのくらいの気持ちをもつもの」

「じゃあ、あんた、よそで女あさりをしてたっていうわけ？」

「ああ」

「オメデトウ」

「しかし、もういやになったって、いっただろう？　ぼくのもうひとつの任務は……」

「女あさりって、どうやってやるの？」

わたしは、せせらわらったつもり。

「どうやってって……あなたに対するような態度とおんなじさ」

「それでみんな、恋いこがれちゃうわけ？」

いいかげんにしろ、バカ！

「どうやら、そうみたいだ。しかし、あなたの嫉妬って、すさまじいね。よその子の部屋で、その子と抱きあってても、突然頭が痛くなるときがある。それも一晩中。あなたはそのとき、ねむれないで、タバコばっかりすってるんだ。ときどきため息ついたり、お酒のんだりしてね」

「どうしてわかるの？」

おもわず、口からでてしまった。そんなことは、おしかくしているべきだったのに。わたしは講義にもでないで、悶々とする日がつづいている。アルバイトも休みがちだ。それも、みんな、こんなつまらない男のために！

「ぼくには、わかるんだよ」

彼はほほえんだ。すべてをゆるしてもいいような、すばらしい笑顔だった。わたしはしかめっつらをして、タバコを指にはさんだまま、部屋中をあるきまわった。カーペットには、いくつかの焼けこげができている。

「ぼくは任務を、放棄する。ということは、命をねらわれる、ということだ。覚悟している。だから、あなたにも、わかってほしいんだ」

「関係ないわよ！　そんなこと！」

わたしは彼にとびかかった。この男の、いやにおちついた態度、自信たっぷりなようすが気にくわなかったからだ。自分を何様だとおもってるんだ。まるで、なにもかもわかっているような口をきいて。新興宗教の教祖じゃあるまいし。わたしは、彼の髪をひっぱろうとした。彼はおそろしい力でわたしの両手首をつかんだ。

「チキショウ！　サギ師！　ひと殺し！」

「ぼくはひと殺しじゃないよ。サギもしていない」

「変態！」

髪をつかもうとしてもがく。

「性的変態でもない」

「インチキ野郎！　死んじまえ！」

「ちがうったら」

「あんたは、わたしをだましてる。よくも、よくも……」

なぜ怒ってるのかわからなくなり、わたしは、あばれるのをやめた。それからすすり泣きをはじめた。彼はわたしをベッドへはこび、いつものように、しっかりと抱きしめた。

「なんで泣くのかしら、おかしいわね」

しばらくして、わたしはかすかにてれわらいをした。

「いいや、ちっともおかしくなんかないよ」

彼は、大まじめにご託宣をたれた。


ある日、アパートへかえると、見知らぬ男がいた。彼とふたりで、だまって向かいあっている。わたしは、ベッドのすみにすわり、ひざを両手で抱いて、ふたりをみつめた。

「わるいけど……ちょっと、外へでていってくれない？　二時間くらい」

彼は、例のしずかな声ではなく、感情をむりにおさえつけたという感じで、ささやくようにいった。

「いや」

わたしは大声でいった。

「なぜ？」

彼の声は、さらによわよわしい。

「だって、こ、こ、こは、わ、た、し、の、部、屋、だ、か、ら」

彼は、いまは褐色にみえるひとみで、ながいあいだわたしをみていた。だまされるもんか！

「わかった」

その声には、ある決意が感じられた。

ナゾの人物は、彼よりも大きい。この季節だというのに、帽子をまぶかにかぶり、マスクをし、コートをきこんでいる。

「ここはさむい。じつにさむい。お嬢さん、おかしいだなんておもわないでください。わたしは、いまひどく風邪をひきこんでましてな。なにしろ、ここのウイルスというのは、始末がわるい……」

大男は、親しげにふるまおうとする。

「それにしても、大げさすぎますわ。その下に秘密兵器でも、かくしてるみたい」

わたしは、ぴしりといってのけた。

「いやいや……そんな」

大男は眉をあげ、からぜきをふたつみっつしてみせた。

彼のくちびるが、かすかにうごく。声はよくききとれない。大男はうなずいたり、否定のしぐさをしたり、それからなにかをしゃべったりしているようだ。

ふたりはだまりこむ。

「もう、いい!」

不意に、彼は立ちあがった。大男は両手をあげるようなかっこうで、目をいっぱいに見ひらき、それからうしろへたおれた。彼の手には、ピストルのようなものが、にぎられていた。

「これをつかうつもりは、なかったんだ」

彼は息をはずませている。

「とうとう、ひと殺しになってしまった」

彼は奇妙につぶれた声でいった。わたしは、口がきけない。だいたい、ふたりのあいだに、なにがおこったのかも、理解できないでいる。

「どうしたの？　ねえ、あなた」

しばらくして、わたしは問いかけた。

「死んだ」

彼は、武器をしまった。

「なんで？」

「ぼくの動向をさぐりにきたんだ。連絡と称してね。ぼくは、自分の気持ちをいってみた。ここで、この星の人間といっしょに、ってことはあなたというイミだけど、くらしたいって。仕事からは手をひかせてもらうって。彼はわるいやつじゃない。はじめはびっくりしたらしいが、とにかく説得をこころみはじめた。しかし、ぼくはかんがえをかえられない、といったんだ」

「だって、だって……まさか」

「いままでのぼくのはなし、ウソだとおもってたんだろ？」

宇宙人だかなんだかしらないが、とにかくわたしはひとがそんなふうに殺されるのを、はじめてみた。ベッドのうえで、バッタみたいにとびはねたいおもいだ。だが、ふしぎなことに妙におちついていた。

もいる。それは、あの彼に抱かれて泣いた夜から、この男を信じはじめていたからかもしれない。

「とにかく」とわたしは、息をのみこんだ。「始末しなきゃ」

「そうだな。疲れてるが……」

「クルマの運転、できるわ。レンタカーのトランクへいれて、どこかへ運ぶとか」

「いや、それはまずい」

「なんで？　ここで、死体といっしょにくらすわけ？」

「毛布かなにかある？」

「ええ」

わたしは押し入れから、ぶあつい毛布と使用していない古ぶとんをだした。

「ここへしいて」

二枚かさねる。それからふたりで、大男をもちあげた。おもったほどの重みでもない。だが、死体というものは不器用で、じゃまっけで、やはりかなりの重みだ。

「これから先は、みていないほうがいい。ちょっと外へいっといで。十五分だけ」

わたしは、ドアをしめた。脚がガクガクして、ヒールが音をたてるのがわかった。いまになって、事の重大さが、実感として迫ってきたのだ。

ふるえながら喫茶店へいった。椅子にぶつかった。タバコを逆にくわえた。はこばれてきたコーヒーをこぼし、スプーンもおとした。オカネをはらうのをわすれ、注意されると、今度はおつりをもらうのをわすれた。

自動ドアがあいて、彼がはいってきた。

「でよう」

わたしは、かかえられるようにしてあるいた。

「毛布、よごしちゃった。それに、あの部屋はすごい臭気だよ。密閉してきたけどね。あそこへはもどらないほうがいい。においがきえるまでは」

「あれは、どうなったの？」

「消えた。化学処理したんだ。完全に消えてしまったよ」

彼は、わたしの腕をひき、タクシーをとめた。

「どこへいくの？」

「ホテル」


その部屋でわたしは服をむかれ、首すじをかまれたり、胸をつかまれたりした。

「いや！　やめて」

「ごめんね。ここのひとたちがやるみたいには、ぼくはできないんだよ。いま、気分がささくれてたもんで……どうしたらいい？」

「いつもみたいにして」

わたしは、ぴったりと彼に抱かれた。もう恐怖はなかった。

「こんなふうにしても、あなたの星では、子供ができるの？」

「できることが多い。半々ぐらいかな。試験管ベビーっていうのが、この星でも研究されてるみたいだが」

「じゃあ、あんた、女の子のとこへ泊まって……まあ、ひどい。地球種まき作戦ってわけ？」

彼はこたえない。

腕の力がさらにつよまり、髪をなでる指がやさしくなった。

(あなたがすきだ)

なんの前ぶれもなく、彼の感情がわたしのなかにとびこんできた。

(いま、なんていったの？)

あたしも、おなじようにして、意思をつたえる。そんなことができるとは、おもいもしなかったのに。

(おどろいた？　やっと通じたね。あなたは、自分でも気がつかないうちに、ぼくにいろんなことをつたえてきてたんだよ。あなたはここの人間でも、特別に感情が激しいほうなんだ。ところが、ぼく

のおもいをつたえようとすると拒絶する。カラをかぶっててね。それがいま、やっとなくなったんだ)

(ほかの子とも、こんなふう?)

(いや、ちがう)

わたしは彼の首に両腕をまわした。あまりにもおもいが激しいために、からだがけいれんした。わけがわからなくなり、ふたつの心がまじりあい、そしておわった。

「よかった?」

彼は声にだしていった。わたしはわらってみせた。

「これから、どうするの?」

「ぼくは、逃げなくちゃいけない。ほかの仲間が、だまっちゃいない」

「わたしもいっしょ」

「できることならね」

「どうして?」

「ぼくたちがのってきた機械は、半分こわれてる。それをできるかぎりなおして、ここから逃げだそうとおもう。調子がよかったら、あなたもいっしょにいける」

「地球の外へ?」

「そうだ」

「もちろん、いくわ――でも、こんなことというなんて、わたしもあなたといっしょに、気が狂いかかってるみたい」

「黄色いバスから、脱走してきたんだ」

彼は、まったく無邪気にわらった。

「ガタガタでもなんでも、いっしょにいく」

「それはダメだよ。ぼくは生きのこれるかもしれないが、あなたのからだが耐えられるかどうか……」

(死んでももとどもとじゃない)

心の奥から叫んだ。

「いや、だめだ」

「なぜ?」

「二年……たったら、きっとかえってくる。それまで待ってるほうが安全だよ。なぜって……」

「ああ、あなた」

イミがわかったので、わたしは彼の首にまた腕をまわした。

「いま、妊娠したの?」

「そうだよ」

「どうしてわかった?」

「パチンって、音がしたから」

ふたりは、連れこみホテルのベッドのうえで、大わらいした。

週刊誌に、奇妙な結婚サギ師のはなしがのっていた。宇宙人とかなんとかいって、女の子をケムにまく。なぜか、みんなひっかかって、オカネをまきあげられる。その男は性的コンプレックスから、女性にうらみをもつようになったのだそうだ。いまは精神病院へ逆もどりである。

「あっちのテクニックがすごいっていうなら別だけど、どうしてみんなひっかかったのかしら」

レイコが電話してきた。

「よっぽど魅力があったんじゃないの?」

わたしは無責任に。

「そうねえ。女って、バカだから。あたしだったら、そんなのにはひっかからないわよ」

レイコは、うれしそう。わたしは週刊誌の写真をじっとながめる。彼に似ているような気もするし、似ていないような気もする。不鮮明でよくわからない。

「フランスとベトナムと日本とのハーフなんだってさ。実際みたら、いい男だったかもね。あたし、気ちがいじみたのって、すき。野獣のように組みしかれ……あ、このひとの場合は、不能者か」

レイコはさえずる。

「ねえ、それで、妊娠したひとって、いるのかしら?」

そうたずねたのは、多少の不安をおぼえたからだ。

「あーら、あんたも低能ね。小学生じゃあるまいし、キスしたら子供ができるとでも、おもってるの? いまじゃ、そんな年頃でも、ませたガキがいるっていうのに」

UFOさわぎのほうも、またぶりかえした。神奈川の例の山奥で、正体不明の大爆発がおこったそうだ。学者や学者らしき人物や、マニアやひま人が続々つめかけているそうだ。

あのひとは死んだ。

だって、もどってこないもの。彼は、わたしに思い出と息子とをのこして、死んでしまった。わたしはいまでも、彼が異星人であったと信じている。

子供は幼稚園へかようようになった。おそるべき知能指数で二百いくつとか。先生やまわりの者が「この子は天才だ」と保証する。

そんなことは、まあ、どうでもいいけれど……。わたしには、心配のタネがひとつだけある。

父親がいない子だから後指をさされやしないかとか、非行に走らないかとか、そんな問題ではない。

生活のほうもかなり苦しいが、なんとかやっている。結婚したいとはおもわないし、男がほしいわけでもない。

ときおり、おそろしい孤独感におそわれるが、あの思い出だけをたよりに、生きつづけることはできる。もう、あまり泣かなくなった。

心配のタネ、というのはじつに現実的なことで、どうも、うちの息子はひどくませたガキみたいなのだ。お医者さんごっこなんかはしない。ただ、お気にいりの女の子に、ぴったり抱きつくのがすきで、先生方は「ちょっと度がすぎるけど、愛情に飢えてるのでしょう。片親ですからねえ」なんていう。

しかし、相手の女の子のおなかが大きくなったら、どうしよう。四歳ぐらいの子に排卵はないから、なんて楽観視できない。あのひとは、あんな天才的な方法で、わたしを妊娠させたのだから。

しかも、うちの子は、お気にいりが二週間ぐらいで、つぎつぎにかわるらしいのだ。

幼稚園の女の子が全部妊娠したら、どうしよう。それをおもうと、夜もねむれないなんていったら、大げさすぎるだろうか。

ぜったい退屈

改札口の向こうに〈彼〉が立っていた。いつものようにからだにあわない服でキメている。全部父親のものだろう。特にズボンはだぶついている。寄りかかっていた柱から背中をはなさずに、片手をあげて合図した。

わたしは切符をスリットにいれて、金属バーがひっこむのを待った。後からきた男の子が、わたしの背中にぴったりくっついた。切符が買えなかったのだろう。ふたりいっしょに通り抜けると、彼は口の中で「どうも」とかなんとかいって、だるそうに歩いていった。

「なんだ、あれは?」

〈彼〉はニヤニヤしている。

「あなたがいつもしてることよ」

「通り抜けられなかったやつらが、集団で固まってるぞ」

「あのひとたち、どうするの？　最終電車が行っちゃったら」

「追っぽりだされるだけさ」

「へえ？　身元引受人がなかったら、一晩泊められるのかと思った」

「それは昔の話さ。人数が多すぎて、収容しきれないんだ、いまは」

ふたり並んで、柱に寄りかかっている。すぐに脚が疲れて、わたしはしゃがみこんだ。〈彼〉もおなじようにした。

「どっか行く？」

わたしはため息をついた。

「ああ……とりあえず、地上へでも」

〈彼〉もまた、ため息をついた。それからわざとらしく「ぼくたち、会うと、いつもおんなじことするね。よっぽど愛しあってるんじゃない？」

わたしはフンという顔をした。はじめから似ていただけだから。二年まえは、それがうれしかった。星座、血液型だけじゃなくて、身長、体重までおなじだということが。いまは、わたしのほうが二センチ高い。

「やれやれ」と〈彼〉は立ちあがった。「こんな簡単な動作するだけで、死ぬかと思うね。なんでこんなにだるいんだろう?」

「ごはん食べてないんでしょう?」

「あ、それだ。わすれてた」

「外へでるまえは食べるようにしてるわ。何回も倒れたから。一日に二回は食事しないといけないみたい」

「なんでかなあ?」

〈彼〉は呆けたような声をだした。愚か者のフリをしている、といつもは解釈しているが、ときどき、ほんとのバカじゃないかと思うことがある。

「退屈だからでしょ。なにかしてないと」

「そうだ。きみは正しい」

地上へ出る階段のわきにも、少年少女たち(十二、三歳から三十歳くらいまで)が、すわりこんでいる。みんな仕事がないのだ。

「失業者用の食堂へ行くって案は?」

〈彼〉がふりかえった。

「いやよ。ヤクザのたまり場なんだもの。IDカードを取りあげられちゃったら、おしまいだわ。連中はそれをヤミで売るのよ」

「ぼくがついてるじゃないか」

そういって〈彼〉は自分で吹きだした。わたしはつまらなそうな顔をして見せた。

地上には陽が照りつけていた。きたない街が広がっている。わたしは開放されている場所がこわい。フレームのない風景に慣れていないのだ。本物のでも代用窓でもいいから、枠にはめられた絵柄を見ていれば、気持ちがおちつく。テレビの見すぎかもしれない。

「買い物しようかな」

「つきあいたくないわ。外で待ってるわ」

「協力者がいたほうがいいんだ。しかし、きみだと、とんでもないドジふみそうだからな」

万引きでつかまったことがない、というのが〈彼〉のジマンだ。盗難防止カメラのわずかな死角をねらうのがコツだ、といっていた。

噴水広場の方向へ歩きながら、〈彼〉は両側の店に目をくばっている。不意に薬屋へはいった。わたしはそのままゆっくり歩いた。〈彼〉はすぐに追いついてきた。しばらくだまっている。小さな路地をまがった。換金してくれる所へ行くのだろう。

ビルの二階からおりてきた〈彼〉は、現金を手にしていた。わずかな額だ。「ほら」といって、わたしによこす。「いやあ、まいったね。すごいまじめな店員がいてさ。目玉ギロギロさせてるのさ。

失業したくないからなんだろうけど。そのせいで、カネにならないものまで取らなくちゃなんなかった」

〈彼〉は、ポケットからちいさい箱をだしてみせた。

「なに？」

「事後避妊薬だって。買ったことないから、わかんなかった。換金所のひとが教えてくれた」

「だれが使うのかしら」

「変態の年寄りだろ。やる回数が多いか精子が多いかどっちかだ。いまどき特異体質だよ、そんなのは。どうしたの？」

「最後にしたのがいつだったか、思い出そうとして」

「ぼくとだったら、二年前最初に会ったときに二回」

「そうねえ」

「ほかのだれかとした？」

「あんなに疲れること、めったにするわけないでしょ」

「そうだけど……疲れるのも、わるくないよ。いかにもやった、っていう実感があって。ぜんぜんくたびれなかったら、つまんないと思わない？」

「わからない」

しなきゃいけないような気がする。一年ほど別れていたのは、そのせいかもしれない。長いあいだしなかったので、恋愛気分がうすれたのだ。このところ会うようになったのは、〈彼〉がテレビにでたからだ。その番組を制作した会社の重役が、わたしの母だったから。「精神分析の部屋」とかいう、ヤラセの番組だった。電話してなぜ出たのか訊くと「ママがあれを見てかわいそうに思って、ぼくをむかえにくるかもしれないから」といった。十五年も前に蒸発した母親に、二十一歳になってしかも匿名ででている息子が、見わけられるわけがない。そう思ったが、わたしは口にださなかった。

ファースト・フードの店にはいった。「高級雑炊レストラン」と銘うってある。どこが高級なのか、わからない。どんぶりをふたつ置いたトレイをもつと、かすかにめまいがした。彼に注意したくせに、きのうから何も食べていないのを思い出した。食べるのをわすれて餓死する若い男女がふえた、とテレビのニュースでいっていた。

「恥ずかしいわ、なんとなく」

スプーンをとりあげて、わたしはいった。

「うん」

〈彼〉はうなずく。

「ひとりでしか食べたことがないから」

「ぼくも」

ふたりならんでビデオスクリーンを見ながら食べた。なにか見るものがないと、おちつかないのだ。画面には、南の島の日没がうつっていた。カメラが動かないので、代用窓みたいだ。沈みきってしまうと、番組は「今週のトップ40」になった。この店は「ビデオがいつも新しい」が、キャッチ・フレーズになっている。

わたしはドンブリをかさねて、手近のダスト・ボックスにいれた。

「彼女はどうしたの?」

「え?」

「わたしのつぎにつきあっていたじゃない」

「会ってないよ」

「どうして?」

〈彼〉は眉を寄せた。しょうがないな、という感じで息を吐く。「彼女、両親がそろってるんだ」

「めずらしい」

「そのせいかなんのせいか、世界を疑ってないんだ。やたら元気で騒々しいし、希望なんてものを持ってるんだぜ」

「あなたと結婚する希望?」

「子供を産む希望とかさ」

「体内授精で？」

「そう。できそうじゃない？　あのからだつき見れば」

百五十センチで五十キロ、といったところだ。男女を問わず、百七十センチ五十キロが平均なのだが。

「これ以上はいいたくない」

ふたたびため息をつくと、〈彼〉は目をスクリーンにもどした。

これ以上って、ほかになにがあるんだろう。生理でもあるのかもしれない。わたしも子供のころ二、三年はあった。十八をすぎて、しだいにものを食べなくなって、いつのまにかなくなってしまった。だいいち、女みたいな（あるいは男みたいな）体型をしているともてない。いまの世の中でふとっているのは、中年以上か、病院の特別メニューを実行している妊婦ぐらいなものだ。

〈彼〉は、スクリーンのアイドルを見つめている。〈彼〉が本気で恋しているのは、そのアイドル歌手なのだろう。わたしにも、ごひいきのタレントがいる。だから、いくら嫉妬してもかなわないことは、わかっている。相手はイメージなのだから。しかし、やはりジェラシーはある。

「この前の下院の選挙、あの子にいれたの？」

嫉妬しなくてはいけないんじゃないか、とも思う。これは（彼とわたしは）いちおう恋愛してるつもりだから。義務感を自覚したとたん、あじけない気持ちになる。

「いれたよ。チェッ、いいじゃないか」

「十五から選挙権があるなんて、バカみたいだわ」

「そうかもね」

「しかも『輝け！　第何回選挙投票』なんてさ」

「そのせいで、投票率が高くなっただろ。テレビのまえで、好きなタレントの番号押すだけですむんだから」

「でも、アイドルが獲得した票数で、どの政治家をえらぶかは公表されてないのよ」

「わかりきったこと、いわないで」

〈彼〉は頭をふった。「出ようぜ」


路上には、失業者があふれている。立ったりすわったりしゃべったり、楽器を演奏したり。

「なんでこんなに多いのかな」

〈彼〉はもうきげんをなおしている。

「新宿だから」

「どうして集まるのかな。無賃乗車してまで」

「見物してるんじゃない？　おたがいを」

コマ劇場に近くなると、その数はますます多くなった。警察の巡航艇が二機、頭上を飛んでいる。ときどき降下してきては、テープでおなじことばをくりかえす。〈二十分以上おなじ場所にいるのは法律違反です。移動してください〉

広場まできて、ならんで腰かけた。

「どうしたの?」

しゃべることがないので、〈彼〉はそんなことをいう。

「どうもしないわ」

そう答えたとたんに、イライラしてきた。

「元気?」

「ええ」

「きみのおかあさんは?」

「元気よ」

こんな阿呆みたいな男の子とつきあったってしょうがない、と思う。

「あなたは?」

「気分?　いいよ」

「あなたのおとうさんは?」

「最近、思春期をむかえたみたいだ」

〈彼〉はかすかにわらった。「ときどき、じっとかんがえこんでる」

「なんで?」

「アイデンティティについて、悩んでるんじゃない? 六十になって」

ふたりしてわらった。

「いや、どうも恋愛してるみたいなんだ」と〈彼〉はつけくわえた。

「老人って、元気があるじゃん? なんか、やたらがんばってるみたい。日記つけたり手紙書いたりプレゼント送ったり」

「本物の人間が相手?」

わたしは妙ないいかたをしたが、〈彼〉は理解したようだ。アイドルではなく、というイミで。

「ああ、緑のドアじゃないみたい」

イメージ、のことだ。幻覚剤などにもつかうことばだが。

「たいへんじゃない? 年寄りの恋愛って」

「そう。一大事みたいな顔するからな。ぼくたちなんか、アレじゃん? 義務感で恋をしてるわけじゃない? 若者は恋しなきゃいけない、みたいな。あるいは、ひまでほかにすることがないから、とか」つづけて、いかにもウソっぽく「いや、きみのことじゃないよ。きみは特別さ。わかってるじゃないか」

「それで？」

わたしは下目づかいに相手を見た。本心からカチンときているのかどうか、よくわからない。演技が性格に組みこまれてしまっている。すくなくともうれしくはないはずだ、とぼんやり思う。

「大事にしてるじゃないか」

〈彼〉の声はとがってきている。それも演技なのかもしれない。

「どんなふうに？」

どうでもいいような気もするが。

「たとえばさ――」

〈そこの黒服、移動しなさい〉

巡航艇が注意する。

〈移動しなさい〉

降下してきた。黒服は急に立ちあがって、走りだした。その走りかたがよくなかったらしい。アームがおりてきた。その人物は、両腕をあげた。腕をたらしたままだと、胴といっしょにはさまれて、けがをする可能性があるからだ。黒服は空中につりさげられて、つれていかれた。

「ひでえな」

〈彼〉は見あげた。

「あのあと、どうなるの？」

「戒告処分、罰金」

「つかまったこと、あるんでしょ？」

「摘発って、オマワリの気分しだいなんだ。理由はいくらでもつけられる」

「あれ、どんな気分？」

「両腕を横にひろげてたもんで、フェリーニの冒頭を思い出した」

わからない。

「きみは、ものを知らないいな。だから、就職してもすぐクビになるんだ」

半年に一度は、就職試験をうけなければいけない。そのことは、ＩＤカードに記録される。怠るとどんな罰則を受けるか、わたしは知らない。

「試験には受かるのよ」

わたしは元気なく抗議した。

「職種は？」

「ウェイトレス。それだって、条件があるのよ。身長とか。あんたの彼女なんて受からないわよ」

「あいつはしょっちゅう婚約してるから、就職試験を受けなくてもいいんだ。つまり、結婚準備期間として認められるから。やだなあ、話題が堂々めぐりしてる」

「婚約してたの？　あなた」

「いいたくない」

していたのだろう。

わたしはつめをかんだ。〈彼〉はわたしのその手をとって、かるくにぎった。

「ゴチャゴチャいうなよ。いやになる」

わたしはだまっていた。

「じゃあ、このまえの電話、だれだ？」と〈彼〉はいった。

「なあによ。急にいわないでよ」

「きみのとこにふたりでいったとき、電話があったじゃないか。画面をださなかったのは、男だからだろう？」

「絵をおくってこなかったからよ、相手が」

「そんなこと、あるもんか」

「あるわよ。わたしだって、しょっちゅうそうしてるわ。ひとに見せたくないかっこうしてるときなんか」

最悪だ。

「たとえば?」

「髪がくしゃくしゃだとか」

「ぼくのときは、いつも絵をおくってくるじゃない。髪がキマってなくても」

「それは、あなただからよ」

ひとりで家へ帰りたい。

「しかも、そのあと、ぼくをはやく帰したがってた」

「思いちがいよ」

どうやって切りあげよう?

「うちへ帰りたいって思ってるんだろ? 問いつめられたから」

後のほうで、ボグッというような音がした。男が女の頭をなにか重くて堅いものでなぐっている。何回も。女の両手があがっている。やっと悲鳴がきこえた。女はくずれていった。血だらけだ。

女は動かなくなった。加害者は口のなかでブツブツいっている。ザマミロとか、……の報いだ、とか。

返り血をあびたまま、男は歩いていった。だれも動けない。巡航艇がきたのは、それから二分もたってからだ。

わたしは〈彼〉が貧血をおこすのではないかと思った。ふだんから白い顔が、まっさおになっていたからだ。

「なまなましいな」

　まだのこっている血のりを見ている。

「行きましょうよ」

「ちょっと待って。あんまり迫力あったもんで、ぼうっとしちゃった。まるで本物みたいで」

「ほんとだったのよ」

「あ、そうか」

〈彼〉は血のにおいをかごうとして、オマワリにじゃけんにされた。それはポーズだ。〈彼〉には嗅覚というものが、ほとんどないのだから。においも味もわからないのだから。その傾向は、わたしにもある。いまのコドモたちがものを食べることに興味がないのは、そのせいかもしれない。日常生活が、テレビのなかのワンシーンに思えるのも。

「つい、フレームをあてはめてかんがえちゃうんだ。すると、どんな絵柄でも新鮮に見えるし、見てるほうとして安心できるんだ」

　ひとりごとのように〈彼〉はつぶやいた。それからわたしに向かってにっこりして（にっこりというより、別の表情にもうけとれたが）「いやあ、ひさしぶりに昂奮しましたね。ヤラセじゃないものね。テレビ局、きてない？　ぼくのママに見せてあげたい」

わたしは、だまっていた。はっきり説明できないが、なにか異常な事態にさしかかっている、という気がした。

テレビ局はきていなかった。

ビデオカメラを（趣味で）まわしている、三十くらいの男がいた。

「たのんでくる」

〈彼〉は、いつもの明かるい男の子、にもどった。

「なにを？」

「ダビングさせてもらうのさ」


「風と共に去りぬ」を見ていると、母親が帰ってきたらしい。玄関のほうで音がする。「うるせえな」と思いながら、画面に集中しようとする。ラストが近い。レット・バトラーがでていき、スカーレット・オハラが階段に倒れるシーンだ。わたしはいつも、ここで泣いてしまう。何回見ても、泣いてしまうのだ。

ものごころついてから（ここ二年くらい）現実の生活場面で泣いたことはない。なにか重大なことが起きると、たいしたことはないんだ、と自分をごまかす。なるべく打撃をうけないようにする。それが習慣化されて、無感動な人間になってしまった。つくりごとの世界だと、その点、安心して泣けるのだ。

母親は、自分の部屋にはいったらしい。

わたしはボウダの涙を流し、スカーレットの今後の運命をかんがえた。はたして、レットの愛情をとりもどすことができるだろうか。しかし、ああいう男だから、いちど心に決めると、態度をかえないような気がする。わたしがつきあってきたような軟弱タイプではないから。映画でみる男性像は、みんなじつにあつかいにくい。自分の男性性にこだわりつづけているから。男としてのプライドとか、ふさわしいふるまいとか、バカみたいに見えるときもある。その原理さえのみこんでしまえば、対処するのは簡単なのかもしれないが。

ボタンを押すと、画面が暗くなった。

「どう?」

母親がでてきた。ティシュペーパーの箱を片手にもって、化粧をおとしながら。

「ええ、まあ、元気ですよ」

なんとなく気恥ずかしい、というか、間がもてない。母親と話すときはいつもそうだ。

「このごろ、何してるの? おもしろいこと、ある?」

向こうが親子のコミュニケーションをはかろうとするのを、ムゲにもできない。

「いつもとおなじよ」

「家事をして、あとはぼうっとしてる」

「ふうん、ひまでいいわねえ」

母親はクリームのついた顔をこすり、しゃがみこんでいる。おとなの女の人のこういうかっこうは、あまり見たくない。

「メモリーを見ればわかるけど……パパから電話があったわ」

微妙な話題なのだ。

「そう」

母親の表情は変わらない。というより、顔じゅう白いので、よくわからない。「なんていってた?」

「記録しといたから……話しにくかったわ。ああいうタイプと、波長があわないわけよ。善意のひとだ、ってことはわかるんだけど」

「暑苦しいのよね、性格が」

ここで賛成してもいいのだろうか。

「いうことが、大げさだしさ」

母親はひとりでうなずいた。クリームが透明になってきている。しぐさで知らせると、ティシュでふきとりはじめた。

「ああいうのを、十九世紀的『性格』というのよ。最近のはっきりしない男の子もいやだけど、あそこまで頑迷なのもいやねえ」

「なんか、ヨリもどしたいんじゃない?」

テレビをつけていないとおちつかない。でも、失礼のような気もする。

「そう思った? 印象として」

「思った」

「あいかわらずバカね!」

かつての夫のことをいっている。「あいつの世界観の堅固なことといったら、ブリキのおもちゃもかなわないわ。天国とおなじぐらい長つづきするでしょうよ」

「ママ」

「なあに」

「ことば、いっぱい知ってるのね」

「そりゃ、あなたみたいにしょっちゅうテレビを見てるわけじゃないから。本だって読むし」

顔をふきおわると、よごれたティシュペーパーが山になった。わたしはそれを捨てた。

「パパの奥さんからも電話あった。そのあと」

「なんだって」

母親は箱をもって立ちあがった。

「宅の主人がそっちへ行ってませんかって。なんかギャアギャアいってた――あのひと、ブスね」

わたしは母親にとりいっている。養ってもらっているのだ。なんでもしなくては、気がすまない。おなじ片親でも〈彼〉のかんがえかたは、またちがう。母が家出したのは父親のせいだと決めていて、できるだけ吸いとりなおかつ親を無視する、という手段をとっている。母が帰ってくるときが、〈彼〉の、天使のラッパが鳴りひびく日、なのだ。それは自分が、すべての意味において救われる日、でもあるらしい。そんな日は決してやってこないから、どこまで妄想をふくらましてもだいじょうぶ、なのだ。


「あたしのほうがキレイだと思う？」

てらてら光った顔で、母親はきいた。

「思うわよ。だって、あのひと、背が低くてふとってるじゃない。色黒だし。声はガラガラだし」

サーヴィスしているうちに、〈彼〉と婚約した彼女に似ている、と思いはじめた。実際に似ているかどうかは、問題じゃない。イメージがおなじだったら、ひとくくりにできる。思いつきに感激して、わたしの声に力がこもった。「おまけに子供を四人も、自然に産めるなんて、動物みたいだわ」

明らかに、母親は満足している。いつでも一番、になりたいひとだから。

「最近の猫は、不妊症が多いみたいよ」とかなんとかいっている。

「こっちへきて。お話しましょう」

母親は、自分の部屋にはいっていった。

親子の対話って、そんなに大事なのかしら。ドラマのテーマになったりするから、大切なことなのだろう。

顔の手入れをおえた母親は、ベッドに腹ばいになってタバコを喫っていた。ひとには知られたくない悪習だ。

わたしは、そばの椅子に腰かけて、片ひざを両手でかかえこんだ。

「仕事に関連があるのよ」

話をきいてる、というしるしに、わたしはうなずいた。

「脳のある部位に電気刺激をくわえると、快感が生じるってことは、知ってるわね?」

知らなかったが、とりあえずうなずいた。

「その実験がはじめておこなわれたのは、ずいぶん昔なのよ。電極をとりつけた患者は、一時間に五千回もスイッチを押したということだわ。それとテレビと連動させる装置が実用化されたの。受像機に電源がはいるのと同時に、脳を刺激するわけ。いちいち自分でスイッチを押さなくても、自動的に適当な間隔でよわい電気がながれるのよ」

「きいたことがあるわ。それ、使ってるひと、お友達にいたもの」

なんだかいつもぼんやりしてる子だった。もともとそうなのか、脳にとりつけた電極のせいなのかは、判然としない。

「ひろく普及してるってわけじゃないでしょ、でも」

「手術をするの？」

「ごく簡単なものよ。短時間ですむし、痛くないし。耳にピアスの穴あけるようなもんらしいわ」

母親はなぜだかおこってる。みたいだ。

「そうすると」

なにかいわなくちゃ、とわたしは思って、ことばをつないだ。「気持ちよくなるわけ？　テレビを見てる間は？」

「たぶんね」

「じゃあ、一日じゅうテレビを見てることになるじゃない」

とはいえ、いまでもそうだ。部屋にひとりでいるときは、たいていテレビを見ている。そして大部分の時間、わたしは部屋にひとりでいる。

「今度、大々的にキャンペーンが行なわれるの。装置をとりつけよう、っていう。あたしは個人的には反対なのよ」

母親としての発言なのだろうか。

「なんで？」

「そういう手段を使ってまで、もっとテレビを見させようってことに、疑問を感じてるの」

「でも、決まったんでしょ？」

「制作してるわよ。五秒と十五秒で。そのコピーが、またいやになるわけ。『もっと気分』とか、『幸福——あなたが手にいれるもの』とか。ワイセツな感じするのよね」

「お墓のコマーシャルみたいね」

わたしは思いつきを口にした。

「そういえばそうね。いまや、地獄はなりをひそめて、天国のイメージがこの国をおおってるもの。そのちがいはね、地獄ってのはなんでもかんでもはっきりしてるのよ。天国って、すべてが漠然としてるの。積極的な気持ちよさじゃないわけよ。受動的な漠然とした快感なわけ」

それがいけない、というのだろうか。なぜいけないのかわからない。

「ママの仕事にとっては、つごうがいいんじゃない？」

「それはそうね、たしかに」

「きっとハヤるわよ」

わたしは流行にヨワいのだ。主体性がないから。ハヤリのものは、とりあえずやってみたくなる。

「テレビ中毒になったら、なんにもできないでしょうに」

問いかけられて、わたしはかんがえるふりをした。

「だって、することがないもの」

「そう？　ほんとに？　あたしが仕事で出てるあいだ、あんた一日何をしてるの？」

「起きる時間は決まってないわ。でも、午前中に起きるようにはしてる。まず、なんか飲むでしょ？　それからテレビを見る。自分で、だんだん人間みたいな気持ちがしてくるわ。おふろにはいる。おそうじは、そのあとやるのよ。だって、お湯にあたらないと、からだが動かないんだもの。せんたく。家事は全部で一時間くらい。そのあとは、ずうっとテレビ」

じつになんにもしていない。自分でもあっけにとられる。

「それだけ？」

母親は、わたしが勉強をしてるとでも思っていたのだろうか。

「失業してるからオカネがないのよ。どこへも出かけられないわ」

「図書館は？」

「本もビデオも、メジャーなもんしかないわけ。こないだ『ブレードランナー』借りようとしたらなかったもんで、びっくりしちゃった。友達のとこへ行けばオカネかからないけど、ひとと話すとすごく疲れるのよ。しょっちゅう会ってるわけじゃないから、距離感がつかめないの。パパとしゃべると疲れる、ってのはもっとべつの理由だけど」

こうして母親と話をするのも疲れる。わたしは生身の人間が苦手なのだ。

「仕事は見つからないの？」

母親はわたしのことを心配している。

「……うん」

自分が愚かで子供っぽいからだ、と思う。職種には、それぞれ認定されたＩＱというものがある。たいていの職業は、わたしの能力より高い指数を求めている。ひとがあまっているから当然だ。〈彼〉みたいに、知能は高いのにわざと試験におちようとする者もいる。いつまでも親に保護されていたくて。〈彼〉の場合は、父親にフクシューしたい意味もあって。

「どうしてなのかしらね」

「ママ、へんなこといってもいい？」

「あ、いいわよ」

「わたしには不運がとりついてるみたいなのよ。働くと二週間くらいでクビになって給料ももらえないってのは、わたし自身がいけないんだけど、たいていそのお店まで不景気になっちゃうの。はいったその日から、客足がバタッととだえたりするわけ。自分が一人前みたいな顔をして働くこと自体、罪悪じゃないかと思うわ。ひとに迷惑をかけてるような気がする」

「思いすごしよ」

母親はわらった。どうして、そんなに割りきれるのだろう。断言できるその自信がうらやましい。

仕事にうちこんでるからだろうか。

「……水もってきて」

母親は頭をふった。

キッチンへいくと、わたしはため息をついた。ため息体質なのに、ひとまえではそれをがまんしなきゃならない。他人といるのがつらい理由は、そこにもある。〈彼〉といっしょなら、ため息がつける。つきあっていられるのは、そのせいかもしれない。

「あんた、また学校へ行く?」

水をもっていくと、母親が問いかけた。

「わたしが行けるとこなんて、そんなにないわ」

中学をでてから、入試のないデザイン学校へ行った。そこでは出席もとらない。自由教育とかいう高い理想があるのだ。楽しかった。卒業してからも、ダン・パの通知がくると、あそびにいった。そこで〈彼〉と知りあった。かつてのクラスメイトじゃないとこが気にいった。だからといって〈彼〉じゃなきゃいけない、ということはない。自分とおなじくらいの背丈でおなじくらいやせてて中性的なら、だれでもいい。そんな男の子は、そこいらじゅうに、いっぱいいる。

「オカネのことなら、心配しなくてもいいのよ。あたしは高給取りだから」

「わかってる――もう、向こうへ行ってもいい?」

「いいわよ」

母親は手をのばして、睡眠ダイヤルをセットしはじめた。

居間ではなく、自分の部屋にはいった。番組表の載った雑誌をひろげて検討した。欄が多すぎて時間がかかる。見落とすところだった。気にいってるバンドがでている。

急いでテレビをつけた。

ユウキくん（というのがヴォーカルの名前）はかわいくて頭がよくて最高だと思う。昼間の番組で彼の「恋人発覚」をやっていたのが気になるところだが。

もちろん、いつでも退屈にはかわりない。好きと決めたアイドルがでているとき以外は。番組の内容そのものが好きなわけじゃない。くだらないものが多すぎると思う。画面をぼうっとながめている、という状態がすきなのだ。能動的にならなくてすむから。自分からなにかをする、というのが苦痛でしょうがない。とりあえず苦痛を回避できれば、それでいいのだ。

音量を高くしたいので、ヘッドフォンをつけた。番組はいつまでもつづく。自分だけの世界へわたしはゆっくりとすべりこんでいった。


父親が自殺した。

両親のあいだに何があったのか、知らない。母親は休暇をとって、ホテル形式の精神病院へはいった。入院しているあいだに、テレビ界についてのエッセイを書く予定らしい。

いやなのは、父親の妻がしょっちゅう電話してくることだ。たとえばわたしは、きらいな相手に手を握られても、決してそれをふりはなすことができない。ほとんど他人だったひとの奥さんの回想や嘆きを、がまんしてきくことしかできないのだ。

「ねえ、アタシがどのくらい夢中で愛していたか、わかる?」などと訊かれても困る。だからだまっている。ましてや、父親を軽蔑していたなんて、口にだせない。

父親とその奥さんが似合いのふたりだったことがよくわかった。ふたりとも世界を疑っていなかったのだ。だから片方は自殺したのだろう。自分の死がなんらかの効果をもつ、と信じていたなんて。楽観的にすぎる。

同時に、条件反射として(奥さんの顔を見るたびに)〈彼〉の彼女を思い出すようになった。わたしは嫉妬に狂った。感情というものをひさしぶりにもったような気がする。感情をもつのはよいことだ。もたないよりは。


「なぜ絵を送らないの?」

スクリーンで〈彼〉がたずねた。

「いま、裸でいるから」

わたしはウソをついた。かすかな意地悪をしてあげたい気分だった。

「なにか着たら？　顔が見えないと不安なんだ」

「着るもんがないのよ」

わたしは笑わないようにして答えた。

「……わかった。じゃ、こっちもやめるよ」

スクリーンが暗くなった。

「ご用件は？」

声だけで話すのは奇妙だが、わりとおもしろい。

「重大なこと訊くからさ、まじめに答えてくれる？」

「ええ」

「恥ずかしいな。いいのかな、こんなこと訊いて――顔が見えないから、いいか？」

妙な男だ。

「いってよ」

「じゃあね――ぼくのこと、好き？」

「好きよ。わかってるじゃない」

「どんなふうに？」

「自分みたいに」

「いい答えだな、すごく」

「なにかあるの？」

「いや、ちょっとした計画がね――この話、記録してる？」

「してない」

「ほんとだね？」

「ラブレターとっとくのはきらいなのよ。どうしたの？　あなた」

「いやあ、ぼくたちは身も心もひとつ、という状態になろうかな、と思って。どう？」

「意味がわからないわ」

なにをかんがえているんだろう。

「脳に例の装置をつけたのさ。きみもやってみなさい。世界観が変わる」

「かもしれないわね。でも、ママが反対するわ。いまはいないけど。そのためのオカネ、だしてくれないわ」

「きみには、ぜひともつけてほしい。そうしないと、きみとぼくは、そっくりのふたりにならない」

「つけるとどうなるの？」

「いやなことが、気にならなくなる。つまりさ、それまで重くのしかかってきてたことに、簡単な解決法があるんだ、って気がついたりする。ご都合主義のストーリーみたく、あっさりと不条理な結末をつけることができる。現実はテレビドラマみたいだし、テレビドラマは現実みたいに感じられるんだ。その境界がはっきりしなくて、まるで夢の中で生きてるみたいだ」

「いいわねえ。悪夢みたいな世界って、すきよ」

「多少の混乱はあるよね。あるできごとが自分に起こったのかドラマの主人公に起こったのか、しばらくかんがえないとわからない、とか。でも、そんなこと、たいしたことじゃないだろ？」

「ない」

わたしは即座に答えた。ドラマだろうが現実だろうが、どっちでもいい。楽で気持ちいいのがいちばん。しかし、そういう状態はめったにない。いつも退屈してるだけで。

「ねえ、それをつけると、楽で気持ちいいの？」

「ああ。なんか、エンドルフィンの分泌も関係あるんじゃないかと思う。このあいだ歯が痛くてたまんなかったとき、テレビつけたら、なおっちゃった」

「エン――なに？」

「脳内麻薬。ジョギングを八週間以上つづけると、突然大量にでてくるんだって。うちのおやじなんか、気持ちよくて走るのがやめられない、っていってたもんな。いま、旅行にいってて留守だけど、スーツケースにジョギング・ウェアとシューズをつめこんでた。信じられないよ、まったく。老人は元気だ。いまに足首とか痛めるぞ。この装置つければ、走る必要はないんだ」

「中高年はすごいわよ。体力も気力もあまってるもの。毎日仕事してるのに、なおかつ恋愛までできちゃう。うちのママなんか、こないだまでとっかえひっかえだったわ。別れたパパが、妻子まとめて五人いるのに、それを嫉妬するわけ。半狂乱になって。その奥さんがまた……」

思い出した。チビの彼女を。まだ〈彼〉と婚約してるのだろうか。結婚なんかしちゃうんだろうか。わたしも強烈に嫉妬している。親たちの世代みたいに。こんな感情は、これまで知らなかった。感情として最後までのこるのは嫉妬ではないか？（尊敬とか畏怖なんて、もうどこにものこっていない。だれもがみんな、お気楽に憂鬱に——つまり冗談半分に生きている）

「どうした？」

「あなたの彼女のこと……」

「ああ、それ、いおうとしたんだ。だいじょうぶ！」

「最近また会ってる、ってこときいたわ」

「会ってるよ。話しあいのために。彼女、なんと妊娠したんだ」

「病院行って？　あなた提供したの？」

「ちがうちがう。自然にだ」

「まあ、気持ちわるい」

「特異体質だよ。はじめびっくりしたけど、ほんとみたい。彼女、嘘はつかないんだ。それは知ってる」

わたしはしょっちゅうウソをつく。いいかげんなことをいう。胸の底で黒いものが動きはじめる。

「だって……あなたが原因？」

「いちどきにひとりとしかつきあわないんだって。相手のことで頭がいっぱいになるんだって。しかもさ、こんなぼくを信じきってるんだ。いいひとだとか、いうんだよ。決して裏切らないとか。ふたりの仲は、永遠だとか」

「ふざけないでよ。大げさね」

「ぼくがいったんじゃない。いやあ、彼女は天使じゃないかと思うね。あの生命力、あの性欲のつよさ。殺しても死なない、って感じだよ。ためしに殺してみたい」

「切るわよ」

頭が痛い。ベッドへ行きたくなった。

「待ってよ。ぼくは子供なんかほしくないんだ。ひとりで静かに滅びたいんだよ。彼女をなんとかしなくちゃ。協力してくれ」

「説得なら、ひとりでしてよ」

「あの体力にかなうはずないだろ。ねえ、きょう、いますぐこっちへ来れない？　一生のお願い」

スクリーンが明かるくなって、〈彼〉が土下座しているのが見えた。

「ねえ、なんとかいってよ。愛してるよ、とりあえず。きみは天使——じゃない、悪魔みたいにすてきだよ、ほんと」


〈彼〉の（父親の）マンションは、メカでいっぱいだった。きれいに整理されている。

「こっちだよ」

〈彼〉自身の部屋は、さらに清潔ですっきりしていて居心地がよさそうだった。ビデオカメラがセットされている。

「これで何をとるの?」

「自分の日常生活」

「あとで見て、うっとりするの?」

「ときにはね」

〈彼〉は照明と室温と風向きを調節した。

「しょっちゅうおそうじしてるのね」

「ひまつぶしになる」

〈彼〉はテープをかけた。コマ劇場近くの広場がうつった。

「あの日、だよ。ダビングさせてもらったんだ」

殺人が再現された。

「意外と迫力ないわね」

「だろう?『これは現実に起こったことだ』って、自分に念をおさないと、地味に見えちゃうんだ。だけど、現場をとったものは、構図がまずかったりカメラがゆれたりするから、やっぱりドラマとはちがうよ。これなんか、ダビングしすぎて画質がわるくなってるだろ? いかにも真実って感じがするよ」

「はっきり見えないとこが、想像力を刺激する」

「そう。このあいだ買ったので、自殺ドキュメントがあるよ。借金で首がまわらなくなったから、遺族にそれを売ってうめあわせるように、って製作したらしいんだ。それ、ヒットしたんだって。見る?」

〈彼〉はテープをとりかえた。

実直そうな中年男性が、前口上をのべている。わたしの父親ぐらいの年だ。(おとうさんは自殺したんだっけ!) 見た感じも似ているが、もちろん父親本人ではない。

「しゃべりかたが、淡々としてるわね」

「だろう? ほんとっぽいよね」

画面の男性は〈では〉とかいって、毒物らしきものをビンからのんだ。

「なに？　あれ」

「周到なつもりが、説明しわすれてるんだ。そこが事実なんだよね」

この時代になっても、わたしたちは事実を尊重する。だが一方で、事実と虚構の区別をなくす作業にいそしんでいる。

「農薬じゃない？」

わたしの思いつきを、〈彼〉はギャグとして受けとめたらしい。その男性は、どうしても農業従事者には見えなかったから。

「あなたに残酷趣味があるなんて、知らなかったわ」

「意外性がいいでしょ。ああ、テレンス・スタンプになりたいわ」

〈彼〉はしなをつくった。

「だれ？」

「『コレクター』だよ」

「なんの？」

「映画のタイトルだ。えれえいい男なんだ。ところで――」

〈彼〉はわたしの顔を見つめた。視線をそらしてまたもどすと、まだ見ている。フッと勘づいて、わたしは両腕を顔のまえに交錯させた。「いやよ、殺さないで!」

うす笑いが〈彼〉の唇のはしにうかんだ。

「……きみじゃないよ。きみは妊娠してないから。彼女が、これからくる」

静かに歌うように、〈彼〉はいった。

「だって、そんなこと」

「ぼくひとりじゃできない。相当疲れそうな気がする。おさえててほしいんだ。きっと暴れるだろうから」

「いやよ」

「実際やってみたら簡単だと思うよ。首を絞めるのなんか」

「わたしが妊娠してたら、立場は逆になるの? 彼女といっしょにわたしを殺すの?」

「まあ、そうだな。いいじゃないか、そんなこと。テレビドラマだと思えば。登場人物になった気でやれば」

「そんな気になれないわ、きっと」

「ビデオにも撮るし」

なにをかんがえているんだろう。

〈彼〉はわたしの両手をとってすわった。

「おわっちゃったら、なんでもなかった、って思えるようになるさ。サディスティックな部分をかくそうとしてもダメさ。きみは子供のころ、母親に二回、殺されそうになった、っていったじゃないか。マリー・ベルみたいに」

「協力するつもりはないわ」

「イギリスで実際にあった話なんだ。十一歳と十三歳の少女が、三歳と四歳の男の子を殺しちゃったんだけど、十一歳のほうが頭がよくて巧妙で年上をリードしてたんだ。主犯はそっちで、十三歳は無罪になった」

「ききたくないわ」

「じゃあ、リジー・ボーデンの話は?」

「やめてよ。あなたはなにがいいたいの?」

「きみ自身、育てられかたに問題があるってことさ。めちゃめちゃにかわいがられたり、ひどいめにあったりのくりかえしだろう?」

「あなた自身、なんのために……」

「バカだなあ。いいテープが一本ふえるじゃないか。それに、ばれてつかまったりしたら、警察はママをさがしだすよ、きっと」

チャイムが鳴った。

明け方に、わたしがヒステリーをおこして泣きはじめたので、〈彼〉が目をさました。はじめて泣いたような気がする。〈彼〉は安心させるように、わたしの手をかるくたたいた。

「気にやむことないよ。あした、手術しにいっておいで。脳に電極をつけるやつ。そしたら、ずっと楽になる」

わたしはストッキングの端を力いっぱい引いたのだ。〈彼〉が嫉妬心に火をつけたから。死体は冷凍庫につっこんだ。目をとじて舌をだらんとたらしていた。

「どうするのよ、これから」

「結婚するのさ」

「いやだわ。こんな記憶を共有するなんて」

「いまの法律じゃ、配偶者の証言は採用されないことになってるんだ。だから、結婚すれば、おたがいにつごうがいい。『ブライトン・ロック』みたいだな」

なぜこんなにおちついていられるんだろう。例の装置のせいだろうか。

「ひさしぶりのこと、しない？」

「なに？　ああ……でもシーツがよごれるかもしれないわ」

殺人した部屋がいやで、〈彼〉の父親のベッドに寝ている。

「いいから」

〈彼〉は抱きしめてきた。終わるまでわたしは、シーツのことばかり気にかけていた。〈彼〉は目をあけて、ちがうものを見ているようだった。

もう、退屈じゃない。

エッセイ

いつだってティータイム

速度が問題なのだ。人生の絶対量は、はじめから決まっているという気がする。細く長くか太く短くか、いずれにしても使いきってしまえば死ぬよりほかにない。どのくらいのはやさで生きるか？世相の動きには下等動物みたいに敏感なアートディレクターが、その半分腐りかけたじつにすばらしい脳みそを駆使してテレビCMをつくる。このごろのメインテーマはもっぱら「ゆっくり生きよう」である。PCBとか海水汚染とか公害問題がやかましい。あるいは、やかましかった、といいなおしてもいい。人間というものはおそろしいことはすぐにわすれてしまうようにできている。魚屋に客が寄りつかない時期が五、六年まえにあったが、いまではみんなそんなことはわすれてしまっている。マグロの刺身がよく売れている。

いつの時代でも文化が絶頂期をむかえると、世紀末的世界観が流行した。ヨーロッパ中世暗黒時代にふさわしい黒い太陽《ノワール・ソレイユ》の不吉な幻影。一九二〇年代アメリカの禁酒法とチャールストンの狂騒。日本においても、戦いと飢饉とそれにまつわる天変地異が人びとをおそれさせた。地獄だ、地獄だ、終末がやってくる。

だれもが破滅は近い、といっていた。二十年後には地球の人口はいまの何倍になるとか、氷河期がやってきているとか。しかし昔は呪術的な雰囲気のうちに終末思想が形成されていったのに、いまや時代にふさわしく占い師ではなく科学者が口をそろえてそうおっしゃる。「もしもあしたが世界の終わりでも、ぼくはリンゴの種をまくだろう」なんぞとロマンティックなことをいった人が昔いた。世界の終わりがあしたやってくるかどうかはわからないが、いまではリンゴの種をまこうにもどこもかしこもコンクリートだらけなのだ。

そこで日本人は深く反省し、エコノミック・アニマルであることを恥じ「自然にかえろう」を合いことばにしている。本気かな？　と思ってしまう。

若者が街からいなくなった。下北沢とか吉祥寺とか、彼らが移動していったらしい場所のうわさは聞く。だがわたしの観察では、喫茶店にたむろしてコーヒー一杯で何時間もねばるようなナントカ族は、新世代から消滅してしまった。

より集っては青くさい文学論・人生論をぶつような時間つぶしのアホらしさに、かしこい彼らは気がついたらしい。みんなおうちへひっこんでしまった。生活水準の向上がそれをゆるした。生活自体を楽しむようになったのだ。

ひろい部屋に住みたいなあ、とおもう。東京では家賃が高くてやりきれない。以前、立川に家を借りたくて、友だち数人と行ったことがある。種々の事情でそれは中止となり、わたしはいまでも代々木に住んでいる。それでも米軍がひきあげたあと残った住宅は魅力がある。赤坂から立川へひっこした友だちがいっていた。

「なにもあなた、都心にいてせこせこやることないの。ここらへんは緑も多くていいわよ。うちは八畳のキッチンに十五畳の居間、バス・トイレに六畳と八畳がふたつずつで、七万なの。陽あたりはいいし、午後ゆっくりお茶のむなんて最高だわ」

CMフィルムそのままの愛の生活が、そこではくりひろげられているというわけか？　陽光があふれる広い部屋で女の子が目をさます。木製の低いベッドからはだしで起きあがり、カーテンをあける。目に映る緑とさわやかな風。女の子はのびをし、かわいいあくびをひとつして、未ざらし木綿のゆったりしたガウンをはおる。居間へ行ってみると、テーブルには、手製のドライフラワーが飾ってある。同居人が紅茶（なぜかコーヒーではなく、紅茶なのだ）をいれてくれるいいにおいがする。女の子はちょっとだらしないかっこうでゆり椅子にすわり、手をのばしてネーブルをとる。皮をむかないでかみつくのがカッコいいのだ。そこでカット。やっと商品の名前が出る、というのがひとむかしまえの

ＣＭだった。いまはどういうのが主流かわからない。テレビをもっていないから。

「立川へ遊びにいらっしゃいよ。あなたにあいたがってる男の子がいまここにいるのよ。ちょっと替わるわね」

友だちから電話があった。そのヨーちゃんという男の子がでた。

「実家は新宿にあるんだけど、こっちのほうに居候してるの。こない？」

「あしたいくわ」とわたしはこたえた。ヨーちゃんは電話番号をおしえてくれて、四時すぎにいるとつけくわえた。若者たちのあたらしい生活というものを見るために、わたしは新宿から高尾行きに乗った。


立川駅前の喫茶店で待っていると、十五分してヨーちゃんはあらわれた。その店からかけても市外局番なのできいてみると、その家があるのは昭島市だという。車を運転してきたのだ。途中でおみやげのケーキを買って、つれていってもらう。

意外なのは、ブロックで囲った家があることだ。柵なんかないオランダふうの住宅を思いえがいていたのに。

「前は全部白ペンキをぬった低い木の柵だったんだよ。ぼくのとこはそうなってるよ」

彼は洋裁学校へ通いながら、やっぱりその関係の仕事をしている。どんな仕事でもそうだが男のデザイナーにも平均的なタイプがあり、彼のやさしい口のききかたや表情からもそれがうかがえる。

ヨーちゃんが住んでいる家の壁には、W69というイミシンな番号が書いてあった。もちろん靴のままであがる。内部は雑然としているが、そのちらかりぐあいは以前わたしがよく知っていた雰囲気とまったく同じなのだ。風月堂の住人で新宿フーテン族のはしりであったわたしの友人は、いつもこんな部屋に住んでいた。遊びにいくとわけのわからない居候や同居人がかってにお茶をのんでいる。そこでこっちもテーブルに両ひじをついてお茶をのむ。友人はフランスと日本を行ったりきたりしてその人生の大半を費してきた男で、生まれついての放浪者である。この部屋の空気は、フランスふう生活のだらしなさから形成されている。フランスふう生活というのは、バスタブのふちにウンコがついていても平気、という感じがある。これは感じだけだが、日本人のほうがはるかに清潔ずきで整理ずきなのは、ほんとうだ。それと、ヨーロッパ的体質というのは、概してケチであります。みんながみんなそうではないが、堅実なヨーロッパ女性のイメージは、このへんからくるのでしょう。

きれいに陽に灼けた髪の短い男がすわっていて、いまコールド・パーマの最中である。「ヨッちゃん」というふうに紹介される。美容師をやっているのは京都から遊びにきたという女のひと。奥から髪の長い男がでてくる。どぎつい赤と緑で染められた木綿のゆったりしたガウンを着ている。すてきなガウンはアフリカ製だ。

「この人、シュウちゃん。お仕事では、ぼくの両腕」

ヨーちゃんがわらいながらいう。

テーブルのまん中には、やっぱり手製のドライフラワーがあった。台所も居間も、ただただひろい。せまい部屋ではいつも整理整頓していないといられなくなるが、このくらいのひろさではかえってちらかっているほうが暮らしやすい。紅茶がはいる。レコードをみると、大半はモダンジャズで、ビージーズやサイモンとガーファンクルが二、三枚まぎれこんでいる。これもやはり、いまはなき新宿風月堂の延長線上にある感じなのだ。

それについて論争した。ヨーちゃんはどんなことがあろうともR&Bが大好きで、わたしはきらいなのだ。黒人にはソウルがある、と彼はいう。同じ理由でわたしはいやなのだ、といい返す。ゴスペルの流れをくむR&Bはいくら激しく陽気そうなリズムでも、彼らの苦悩が底に流れている。じつは深刻で重いのだ。

「つかれちゃうよ。だって、生活くさいんだもの。いってることがいちいちほんとうなんだもの。なにか押しつけがましい感じがするの。もっとうそっぽいほうがいいわ。だって、たかが音楽でしょ。音をたのしむんだったらさ」

黒人が黒人であることは仕方がないことだけど、その音楽の下層階級的クソマジメはわたしの神経には耐えられない。それでなくても世の中はつかれることだらけなのに。わたしは音楽をまじめに聴きすぎるのだ。

わたしはなんについても、きまじめになってしまうので、それでくたびれるのだとおもう。わずかでも主張があると、他人のはなしであれ、音楽であれ、ききながすということができない。いつでも身をいれすぎる。そのあげく、自分に理解できないことがひとつでもあると、自分にその能力がないという自己処罰的疲労感におおわれてしまう。いつでもあせりすぎるのだ。わからないことは時間をかけてわかるようにすればいいのに、はやくわかりたいとばかりに、あらんかぎりの精力をつかう。その結果が、自分の能力の限界としての疲労感となるのだ。

とにかくここには彼らの、「本物」の生活がある。以前このような生活をしていたときわたしは、神経症にかかっていた。いつでも鬱ぎみなので、ほんとうっぽい生活からは、そくざに生きることの苦しみをかぎつけてしまうのだ。そこで奇妙に実体のない、きらめく夢の星みたいな生活をはじめようとおもった。スコット・フィッツジェラルドふうのそれは、毎日がお祭りさわぎだ。その狂騒状態のうちに生命も才能も濫費して、一九二〇年代アメリカを代表する作家は、心臓マヒで死んでしまったのだが。やはり、人生の絶対量に変わりはない。生き急ぐと早死にする。

男ばかり三人のここの生活は、すこしもあせっていないし急いでもいないようにみえる。彼らはみんな長生きするだろう。

バス・トイレもひろい。寝室は三つある。みんなゆっくり紅茶をのんでいる。ヨッちゃんのコールド・パーマは完成した。ヨーちゃんはひとりでごはんを食べている。外では雨がふっている。

「ぼく、雨ってきらいなんだけど、ここにいると雨の日もわりと気持ちよくすごせるよ」

そうねえとノイローゼふうの声をだして、わたしは彼の食事をのぞく。ごはんの上にびんづめの何かをかけて、猫めしみたい。そういうと彼はわらって「つくるとき失敗したんだよ」とこたえた。

夕暮れも緩慢にやってくる。やさしくなんとなく暗くなっていく感じなのだ。夜になったら……とわたしは考える。夜にはいつも救いがある。事物がはっきり見えなくなり、見たいものだけに光をあて、妄想のなかに沈んでいける。夜は本来休息のときであり、他人はみんな神経をゆるめている（はずだ）。そんなときにモノをかんがえても、じっさいはたいした内容ではない。デメント博士がいうまでもなく、わたしたちは深夜においては多少なりとも間が抜けているのだ。間が抜けているせいで、自己嫌悪なしでとほうもないことをかんがえることができる。昼間の光の下では色あせるかもしれないが、その妄想のカスのなかに、なにかを発見できるかもしれない。夜になったらお酒をのもう。

ヨーちゃんに案内してもらって、「シャム・ロック」というお店へ行く。奇妙に明るく、なお奇妙なことに、ちょっと気取った若い夫婦の部屋に置いてあるような木製の椅子が、散文的にならべられている。うすい黄緑色のコップで水割りをのむ。シーラという黒人の女の子がウェイトレスをやっている。ジャズがかかる。

黒人の客がやってくる。二、三人。マスターは背が高く頭が小さめの黒人で愛想がいい。ヨーちゃんがおなじみさんだから、そのよしみで、マスターは飲みものを一杯ずつおごってくれた。

黒人の男たちがしゃべっている。高校時代授業をさぼったせいで、単語のひとつひとつはわかるが意味が即座にはつながってこない。ここは九時に閉まる。マスターが経営しているもう一軒の店「B・P」へ行くことにする。ブラック・パンサーというイミだそうだ。そのようなたいへんりっぱな名前を聞いただけで、いささか気が重くなってくる。そこにくる人を、あんまり冗談っぽくからかうと半殺しにされるかも、という気がするから。わたしはどうも、気軽にいける才能がないみたいなのだ。

マスターとヨーちゃんが外に立って話をしている。マスターのムスタングとヨーちゃんの愛車を一カ月だけとりかえっこしよう、なんてかわいらしい。

「B・P」にはジュークボックスが置いてある。中味は全部ソウルと俗にいわれている音楽。やれやれ、きついなあ。同じ黒人の血がまじっていても、チャック・ベリーやリトル・リチャードの曲は、はいっていない。多分に白っぽいから。やがてあせていく思い出のために明るく楽しくうたう、というのはゆるされないみたいだ。

椅子にからだをもたせかけて、わたしはじっとしている。車で来るとき見た横田の飛行場のおそろしい速さで飛んでいく白いまぶしい光を思い出した。たくさんのあかりが列になって並んでいて、順に点滅していく。上空からは線に見えるのだそうだ。それは京王プラザの上についている呼吸する赤い光や、銀座の夜を照らし出すサーチライトと同じように、叙事詩的なながめだった。戦時下とか戒厳令下の感じがするのだ。そのあと将校クラスの住宅が金網の向こうに、いく棟も建ちならんでいる地域をとおりすぎた。

しだいに客がふえてくる。黒人ばかりだ。わたしはトマトジュースを二杯のむ。豚足というのをたのんだら、ぐちゃぐちゃに煮た脂っぽい料理が出てきた。朝鮮料理屋で出される、ゆであげて脂をすっかりぬいたものを予想していたわたしは、かったるそうにほんのすこし食べる。ヨーちゃんはジュークボックスにあわせて、気持ちよさそうにひとりで踊っている。

つかれたのでW69に帰る。ヨッちゃんのスキンヘッドはきれいにウェーヴがかかっている。アラビアのロレンスふう長衣をまとった彼はなんともカッコいい。シュウちゃんと彼はテレビを見ていた。なんとトム・ジョーンズが出ている。だぶつくおなかにコルセットをしめて、「ジョニー・B・グッド」なんぞを歌い出すのにはびっくりした。みんなでしんらつな批評をしながらみる。

「あれ、おなかにクジラの骨入りのコルセットまいてるのよ。だって、胸から下は、シャツにあせかいてないじゃない」

「うちへかえってコルセットはずすと、脂肪がいっぱいのしもふりのお肉が、ベローンって、たれてくるのよ。ひざまでたれさがってくるんじゃないの?」

つぎはフランス語の時間で、ヨッちゃんは唇をひっくりかえすような形にあけて、発音の練習をする。それがおかしくて、わたしはわらう。

「いいのよ。こうやって、あそびながらおぼえてくんだから。身をいれなくても、一回にひとつぐらいの単語だったら、おぼえられるでしょ」とヨッちゃんがいった。

わたしはいつでもなんでも身をいれてしまうからよくないのかな、とおもいつつ、また紅茶をのむ。いつだって、ティータイム。

電話でクルマをよんでもらう。

つかれたけれど、それなりにおもしろかった。わたしがくたびれやすいのは、他人や他人の生活に感情移入しすぎるくせがあるからだろうか。「ああ、そんなものか」ですませることができない。なぜああなんだろう、こんな気持ちかしら、と本人になったつもりでかんがえこんでしまう。どんなちいさなことでも、いちいち立ちどまって、ああだこうだと妄想をたくましくすると、どんなささいなことでも興味ぶかくなってくる。他人の感情とか気分とかを、想像するのがたのしい。たのしいけれど、くたびれる。だから、しょっちゅう他人が出はいりするような日常生活はおくれない。

みんなをさそって、新宿へいくことにした。

本物の生活と、本物らしい生活とはちがうのではないか、とわたしはウスラボンヤリの頭でかんがえる。本物らしさを排除して、きまじめに日常をやっていくには、らしさのなかにどっぷりつかるより、さらにエネルギーがいる。ヨッちゃんやヨーちゃんの生活が、彼らにとって本物ではない、というわけじゃない。彼らにとってはほんとうなのだ。だが、わたしにはそういう生活はできない、というにすぎない。

「おおキャロル」と、クルマを待ちながら、わたしはうたっていた。おまえがいってしまったら、おれはきっと死ぬだろう。女の子が去ったくらいで死ぬ、ということもありうるが、そのためだけに死ぬということはありえない。もし死ぬとしたら、彼は自身の暗闇のために死ぬのであって、女の子のためにではない。それなのにいかにもウソとわかるこんな歌は、単純でいい。そしてキャロルは去ったけれど、この歌をつくった男は死なずに生きのびている。

「お気楽ねえ」とヨッちゃんが微笑していた。

乾いたヴァイオレンスの街

おそろしいものは、目のまえのナイフだ。直接の暴力、生命の危機ほど、恐怖心をよびおこすものはない。社会が人生が、といってもあいまいである。管理機構とか体制とか階級とかははっきり形となってみえるわけではない。それらを敵と規定し、具体的に闘うことは非常に困難である。だから、少年マンガの主人公たちは、どれもこれも、こっけいにみえるのだ。

「純愛山河」とメイうって『少年マガジン』に連載していた学園もののヒーローは、いきがる必要もないところで妙にいきがる。彼の敵は、PTA会長の大財閥とその痴呆の息子、あるいは高校を暴力によって支配しようとする一派である。目にみえる形としての悪役がいないと、ストーリーがなりたたない。そのいきがり男にバカ女がほれる。いつでも眉のあいだにアラン・ドロンふうのしわをよせる男を、スケバンがリンチする。彼が悲鳴をあげないといって、不良少女は自殺をこころみる。「このまま生きていたら、太賀誠を愛してしまう」などと、いい気な遺書をのこして。そうなってしまったら、はりあえばいいのだ。しかも、このマンガに登場する男や女は、たがいに火花を散らすほどのむきだしの関係はない。直接的なかかわりというよりも、むしろある種の幻想を抱きあっているみたいだから、彼らの苦悩やいきがりは、たわごととしかおもえない。

　みずからの敵がなんであるかを把握するには、世界を認識することからはじめなければならない。あるポルノ女優は「わたしがなにかをやろうとすると、この社会はかならず敵となる」と、まことにカッコいいことをいった。しかし、なぜ社会が敵となるか、納得のいく説明をすることは、彼女にはできないのだ。彼女のいう「敵」の概念は、おそらく他人からうえつけられたものでしかないから。ひとつのことば、ただとおりすぎていくだけの、ひとつの観念でしかない。この世界にたいする敵意を、目にみえないものにむかって、集約しただけなのだ。

　あるものを「敵」と決める。敵となるのではなく、決めなければならない。それが理屈にあわないものだとしても、決めてしまったら、それだけの作業をしなければならない。シロをクロといいきる場合だってある。不合理であるとしたら、不合理をおしとおすだけのエネルギーをもつ。中途半端だと、やられてしまう。自己を正当化するための作業に、ひとはたいへんな力をそそぎこまなければならない。たとえ、まちがっていても。ごり押しするくらいなら、理屈にあった行為のほうが、よほど楽だ。あるいは、それをよけてとおるとか。鹿を馬といった中国の故事から、馬鹿ということばが発生した。

不良少年に、ながいあいだ興味をもっていた。なぜ不良化するかという疑問に、もと不良少年は「それは、なにが自分の敵か、はっきりわからないからだ」とこたえた。社会のしくみが気にくわないから。なんとなく、腹がたつから。この世界にたいする敵意を、どんなふうに発散させたらいいのか、わからないから。

愛情は全身にみちる感じがする。憎悪は、自分のからだから外にむかっていく。外部にむかうべき憎しみが、自己正当化のよわさによって内にむけられることがある。自己破壊あるいは自己処罰の欲求は、この世界にたいする敵意が転化したものだ。自分をつくったものにたいする憎しみである。だから、自己破壊欲求は、未練や報復のように、よわさのしるしである。よわさというより、本来の道すじをたどれなくなって、屈折したものだ。変態といえる。

タテマエとして、ひとは正常でなければならないのだが、わたしも多少変態がかったところがあった。発作的に、自分を切りきざみたくなった。なにがそうさせるのかは、わからなかった。あいまいな憎悪のために、「ギャイン」とひと声叫んで首をつりたくなることが、たびたびあった。

ひどいことをされると死にたくなる、のはそれによってうちひしがれるからではない。力をうしなったからではない。憎悪のエネルギーがたまり、それを外部へむけることが困難であったからだ。なにものかへぶつけると、そのしかえしがこわい。はねかえってくるものを、もちこたえることができない。自分の感情に、責任をもてない、ということだ。自己を破壊するかぎりにおいては、だれも文句をいわない。

「女の子はかわいくなければ」といわれて育った。まわりの者が全員、従順を強制した。将来男とうまくやるためには、主張とか意見とかはじゃまになるだけだ。男につかえ、たべさせてもらい、その子供をうむ。いかず後家にならないために、憎悪はおさえつけられた。敵意とはげしい愛情欲求は、権威をもつ者にたいする見せかけの従順となった。

十五歳までは、男になりたいとおもっていた。男になれば、エゴの主張が賞賛されるからだ。性的に成熟しはじめると、今度は男にあこがれはじめた。かつて自分がなりたかったものを、手ばなしでほめあげる。権威にへつらってそのおこぼれをいただきたいおもいと、それに同化したい心理とがあった。これがひどくなると、同性愛に発展するのだろう。わたしはひねくれていたが、レズビアンになるほどではなかった。女の子はとてもすきですけど。ただ「女の子がすき」というのと、自分が女の子である、という状況はちがう。女の子はすてきだけど、自分が女の子であるのは、あまり気分がよくない。自我を主張しても非難されない男という性に憧憬をいだくようになった。

男好きと宣言し、ひとにもそうおもわれるようにしむけてきた。自分はお山の大将にはなれないと信じてきたから、自我をもってしかるべきであるはずの男性に期待したわけだ。それに帰属することは、すなわち同化することのようにおもわれた。代償行為でしかないが、ほかにやりかたがなかったからだ。期待を満足させるだけの自我と頭のよさをもった男はすくない。わたしはときおり、わけのわからない不機嫌といらだちにおそわれた。しまいには、かなしくなった。泣くほかに手段がなかった。

男にだって生活はあるもの、とだれかがいう。それなら、カッコいいことをいわなければいいのだ。二十歳前後の男は、だれでもカッコいい。たいていそれは若気の至りでしかなく、三十すぎるとダメになる。

幻想のなかの不良少年を賞賛するのは、彼らが外部への敵意をはっきりしめし、それを行動にうつすからだ。不良行為はくだらないとしても、やけくその勇気がある。自己破壊ほど倒錯していない。

東京近辺の不良の本場は、ガラのわるさからいっても川崎だ、といわれた。港町はどこでもある程度ワイザツであるが、構浜のほうが品はいい。おもに貨客船がつき、高級船員が上陸する。川崎は貨物船ばかり。そのほかにフェリー・ボートが就航しているが。

京浜東北線で川崎駅につくと、この街の特徴はその乾いた雰囲気にあることがわかる。横須賀よりも、もっと乾いている。わたしはすぐさま、うきうきとヴァイオレンスの世界を期待する。そこを横切っただけで、たやすくお目にかかれるはずはないのに。

愛想がわるい。よそよそしい。たとえば伊東には観光地につきものの愛想のよさがある。それはわたしが比較的ながくくらした土地、ということをのぞいてみても。ちいさい街のわりにはにぎやかで、外来者をもみ手してむかえる。

川崎には国電のほかに、京浜急行の駅があり、その裏手はつれこみ旅館街になっている。駅まえの商店街はなんと、銀柳会と命名している。商店というよりヤクザ組織にふさわしい名前だ。映画街のほうは、これまた銀映会という迫力ある名称。

「川崎ってこわいよ。映画街で、どこかのおじさんに声かけられたもの」と弟がいった。

「映画みなさいってこと？　宣伝なの？」

無知な母親がたずねる。

「ちがうよ。手配師なんだ」

「なに？　それ」

「にいさん、ちょっと一杯とか、すしでもどうって、さそうんだよ。飲み喰いさせて、タコ部屋へおしこもうっていう算段なの」

「まあ、こわい」

「ことわると、勘定をはらえってことになるんだろう。飲み屋なんかもグルになって、とんでもない値段をふっかけるにきまってる。おれ、そんなにカネにこまってるようにみえたのかな？」

タコつぼにはいったタコがぬけだせないように、脱出がむずかしいからタコ部屋というのだそうだ。そこにいたことがあるひとに話をきいた。労働はきついし、もちろん外出もできない。ふとんは一枚しかあたえられないから、ふたつ折りにしてつかう。一日に二〇〇〇円ほどの賃金をもらっても、ふとん代、タバコ代、めし代としてとられる。そのうえ、バクチでまきあげられる。負けた分は、女郎屋みたいに前借となる。そんなところからにげだすには、トラックからとびおりるしかない。「なんで、仕事をおせわするの?」

母親が弟にきいている。

「バカだなあ。タコ部屋に売れれば、ひとりいくらっていうリベートがもらえるからさ。労働力をあつめるから手配師っていうんだよ。川崎って、蒲田よりガラがわるいかもしれない。あそこは京浜工業地帯の中心だし、むかし売春街があったところだから」

弟が以前すんでいた五反田も、トルコ風呂が多いところだが、川崎の南町はそれ以上だ。ちょっと金ピカムードの建物をみると、そのうえに「トルコ」の看板がぎょうぎょうしくかかげられている。男性むけ週刊誌にはかならず「ピンク・ゾーン」なんぞというページがあって、川崎のトルコぶろは評判みたいなのだ。「露骨なサービス」とか「いたれりつくせり男の天国」とか、かいてある。そのあとには「八枚は必要」「大一枚は覚悟」と、オカネの話。

半年まえまでラーメン屋だったのがトルコぶろになっていたり。いつぞやは、適宜なつれこみをさがしてあるいたが、以前のホテルがもうトルコというケースが多い。世の中には、もてない男がそんなにいるのかな、と首がかたむいてくる。やっとみつけた旅館は、これも奇妙で例によっておうちのなかなのに野趣をかもしだそうとあせった設計だった。外でもないのに石畳。しゅろをたばねたびょうぶの向こうは、お月さまに似せた青いひかり。

街をとおりすぎると、「衣装」「百貨」などの店が目につく。これは原宿にはない風景で、古着や古道具を売る、つまり質屋だ。駅からとおざかるにつれ、多少はあった色気も愛想もなくなってくる。表通りから路地へひっこむ。堀之内は住宅街といえないこともないが、代々木や成城とはちがう。はるかにまずしげでていさいもなにもない。余分なものはないのだ。

「むかしよりずっと整理されてるよ」

案内してくれたもと不良少年がいう。ここらへんは、ヤクの売人やペイ患が出没したところではないか？

国道二号線をこえると扇町で、工場地帯となる。広大な土地に、色とりどりにならんでいる。トロッコの線路には、さびたツルハシが投げだされている。パン屋の店先に、労働者がふたりばかり立って、それぞれパンと牛乳の食事をしている。

風景は巨大で殺伐としたものになる。円筒形の石油タンクをはいあがる階段が、きしみをあげるような光を一瞬はねかえす。空がひろい。空は均一な灰色で、やたらにひろい。コンクリートのへいがながくつづき、そのわきを大型トラックがはしりぬける。

つい、『土曜の夜と日曜の朝』をおもいだした。あの小説は、ここの風景ほどのきびしさはもっていない。心あたたまるストーリーというわけではないが、わかい男がたどるおきまりの恋愛遍歴だ。彼は人妻の浮気の相手をつとめ、彼女の妊娠にあわてふためき、夜道でけんからしきものをし、最後には自分にふさわしい娘と婚約する。

アラン・シリトーがえがく世界を、暴力とむすびつけることはできない。登場するのは、不良でも気ちがいでもないごくふつうの少年である。この物語のなかの彼は、怒りをこめてふりかえったりはしない。


「××製鉄は人殺しだ!」という抗議のたれ幕が、へいにはってある。潮のにおいがする。海にちかい空をながめると、石油コンビナートがつらなっている。

みるものを拒否するかたい緊張した空気にすっかり昂奮して、そのなかにおりたつ。神経ははりつめるが、けっしていらだちはしない。ここにあるものは、すべてむきだしだから。すこしのあいだ、コンクリートによりかかる。トラックがとおりすぎ、運転手がこちらをみる。彼はなにか叫ぶが、声は意味をなすまえに分解する。わたしは、へいにはりついている。

タクシーをつかまえるために、国道まででた。こない。やっとのことで横断し、警察署をとおりこす。ちいさい町工場がいくつもある。男のふるうハンマーが、ゆらりと頭上に静止する。音はこなごなになって、空間にきえうせる。目にはいるものは、くっきりとしたりんかくをのこす。

彼らの生活はきびしい。労働者がうちへかえると、バッヂのついた背広に着替えたり、ということもあるそうだ。

「勤め先にみつかったら、どうするの?」

「クビだろ? みつかんないようにやるわけよ」

「労働者なのに、もうひとつの組織のひとなの?」

「二十歳までを不良っていうんだ。それすぎたら、プロのヤクザだよ」

わたしの友人が、印刷所で重労働していたことがある。百科事典を箱につめる作業を、およそ十時間もくりかえしてアパートへかえると、観念なんぞというものは消失してしまう、といっていた。たのしみといえば、エロ本をよむことぐらい。うまくいったら、女と寝る。

観念を表現する、という。だが、それだけではだめなのだ。表現ではなく実現できる観念でなければ、彼のものとはいえない。

こんなむきだしの風景にくらしていれば、肉体の感覚をともなったものでない観念は、きえてしまうだろう。

「公園に立ちんぼうと手配師があつまるんだよ。朝はやく、そこに、市がたつの。露店でめしなんかを売るわけよ。それが、きったねえちゃわんに、きたねえめしをよそってよ。みそしるとおしんこつきの定食なんだ」

「いくらぐらい?」

「四十円……いまはもっと、あがってるかな。とにかく、きたねえんだよ」

彼は「きたねえ」というとき、いちいち顔をしかめてみせた。「そこには、夜になると売春婦がでるでしょうに」

「売春婦はいっぱいいる。別のとこにでる」

町工場がある地域をとおりぬけ、南町へいく。質屋をのぞき、カメラを買う。映画街の喫茶店にはいる。川崎でいちばんおいしいという店で、なま焼きのステーキをたべる。駅まえの喫茶店へいく。

わたしがでた高校は、入学の三年まえに、ほかの学校の生徒とのひどい出入りがあった。物見の松がある学校の裏手の公園にあつまって、おそろしい光景をくりひろげた。ひとり死んだとか、死なないとか、そのへんについては先生がたは口をとざしていらっしゃった。学校にかよっているあいだ、わたしは絵にかいたみたいなカタブツだった。不良少女であったことは、一度もない。

三年ばかりして同級生にあうと、「みんな、まわしなんかやってたんだぜ」という。暴力のほうはききのがした。わたしはそのことばから、はげしい好奇心をもやしはじめた。それは嫉妬に似ている。

他人が経験し、自分がふれることもできなかった人生に、やけつくような痛みとあこがれを感じる。

世界に四十五億の人間がいるとしたら、その四十五億人全部になりたい。「それは、人生の嫉妬というんだよ」とだれかがいった。「そんなことは、もうとっくにニーチェがいっている」とっくにだれがいったのかは知らないけれど、そのだれかの本をよむまえに、この種の感情は形成されていた。だから小説をかきたがるのだろうか。他人に同化したい欲求をさまたげるものは、わたしがおもいえがくことのできないことばづかいや礼儀作法やタテマエがまかりとおる世界だ。たとえば、だれかがスジをとおさなかったということでおこる怒りの発作など、理解できないクチだ。そういう仲間を処刑するとき、どのような表情でどのようなあいさつをするのだろうか。けんかがおわっておうちへかえると、親兄弟にどんな顔をしてみせ、どんな雰囲気でねむりにつくのだろう。そのときの晩のおかずとか、おふろの湯かげんとか、母親にあまったれるやりかたとかが想像できない。

わたしにはまず、かんがえるという作業ができない。つまり、想像力がない。これはものかきとしては、致命的なことだ。事実から状況を推理するときに、ゆくてをはばむのは、いつもこれだ。想像するのではなく妄想するのだ。気分的に似ているであろうとおもわれる状態に、自分をおいこむ。幼児が親のまねをするように、ものまねあそびを開始する。飢えたひとの心理をわかろうとするときは、空腹にするし、めくらの気持ちになりたいときは、目かくしをして部屋のなかをあるく。

川崎の喫茶店で、不良少年列伝をききながら、嫉妬にたえている。生きたいという意志と感情とが、目もくらむほどにわたしを圧倒する。それが強烈すぎるために、他人の人生までもほしがる。

もと不良が語る仁義とかスジをとおすとかが理解できなくて、いらだってくる。自分の頭が低級すぎるから、と決めつけてすぐさま放棄するなんて、できない。だれかが「ぼくはスジをとおすひとです」といったとき、わたしはわらってこたえた。「すじめだとかくしめだとか、バイタリスじゃあるまいし」「いいえ、ぼくがつかってるのは、VOファイヴです」そのときは、それでかたづけた。彼のらくらく人生は、もともとありえない想像力をかきたてる必要もない、平明で単純で合理的なものだったから。つまり精神性がなかったからだ。精神的なものがまるっきり欠落していることによる精神性すら、感じられなかったから。

自分ができないことをやる人間には、一目おいている。だから音楽家や運動選手は、わたしにとってはエライひとなのだ。政治家となってくると、あまりの虚々実々に妄想する気にさえならないけれど。

他人が所有しているある観念を、まるごと吸収するのはむずかしい。それが形成されるまでの雑多な道すじを、もういちど疑似体験しなければならない。そんなふうにおもいはじめるといつかみた青い空ではないが、彼がながめた空の色とかその恋人がいつもつかっているシャンプーのにおいまでが、大切なことになってくる。

それはつまり、ある人間が生きた十何年なり二十何年なりを、一週間とか十日とかで走りぬけようとすることだ。わたしは親しい他人から「やさしい」といわれることがある。やさしいのではなく、他人の身になってみるのが好きなのだ。それは同化したいというはげしい欲求と自分が経験しなかった人生にたいする嫉妬でしかない。

「不良の世界ってのは、きたねえよ。だけど、そこでは、人間のよわさだのもろさが、むきだしになるからな。ものわかりがいい年寄りなんて、むかしはひどいことをしてたやつが、案外多いんじゃないの?」

優等生がすごす世界では、他人の感情やたくらみは真綿につつまれる。うすぼんやりしている。肉体的な暴力はおそろしい。直接それにかかわったことはない(もし体験していたら、当然被害者ということになるのだろう。そうであったら、いまごろは鼻つぶれで、ボクサーみたいな顔になっているはずだ)。そして、理解できないとくるしんでいる「彼らの世界」の核たるものは、直接の暴力である。

「あなたは挫折したことがないから、そんなふうにお気楽なんだ」

ずっとむかし、ある男に決めつけられた。デリカシーがないと非難されてひらきなおれるほどデリカシーがないことはなかったので、わたしはひどく傷つけられた。当時十七歳で、「挫折」ということばは知っていたが、実際、体験したことはなかったからだ。その後、たくさんの友人がたやすく「挫折」するのをみた。ダメになってくると、はじめのうちは痛みを感じるが、すぐになれてしまうらしいのだ。おちつづけていくあいだじゅう、はじめにもっていた価値観なり世界観なりを保持するのは、むずかしい。しかも、底なしときている。

わたしを非難したご当人は、どうやらそののちも、ずっと「挫折」しつづけたみたいだ。あまりに簡単にギヴ・アップするのをみつづけると、ありがたみもなくなる。彼は自己正当化のために、そのときどきの理屈を急遽製造しつづけた。夢中になって人生を計算しようとあせっていたが、生まれつき計算だかくはなかったのがあわれだ。彼の「挫折」とは「やる」といったことを、自分がやらなかったことをさすようなのだ。いくら同情してみようとしても、それでは彼が「キャイン、キャイン」としっぽをまいて逃げだす図、としかおもえない。

最後にあったときは、深夜なのに黄色地に黒のシマウマもようのゴルフ・ハットをかぶり、たれ目をミラー・グラスでカバーし、なんとも形容のしがたい万華鏡のごときスカーフを首にまくというすてきなスタイルで、自己陶酔とともにあらわれた。よそおった上機嫌につつまれて、あたらしい価値観を伝達すべく、こうおっしゃった。

「ぼくはもう、どんな種類の欲望もないんだよ。ひとがどんなふうに生き、どんなふうに愛しあって、どんなふうにわかれるかを知ってしまうと、向上心なんていうくだらないものはなくなってしまうね。ある意志を持続するなんて、実にやぼったいことだ。いまのぼくのねがいはうまいものをたべて、きれいな服をきることぐらいだよ。死ぬときは、キンキラキンのきれいなかっこうで死にたいなあ。あなたは服装に興味がないっていうけど、それこそ人生を幸福に生きようとする『意志』がない証拠だよ。意志というのは、それぐらいのものなんだな。いかに優雅に生きるか、しかないんだよ。フランス製とメイド・イン・ジャパンのスカーフのちがいがわからなきゃ、生きていく資格はないよ。だから、あなたなんか、生きていたってどうしようもない人間なのよ。ファッション的じゃないから」

わたしは、彼を軽蔑することぐらいしかできなかった。そんなふうに決めつける相手に「生きることについて」のギロンをしようとはおもわない。彼は挫折にあまえて幸福なのだ。

ひとは、たやすく挫折など、するべきではないのだ。挫折してはいけないのだ。社会や組織に負ける、といういいかたがある。負けたと実感できるのは、最初のうちだけだ。わすれることはできないにしても、正当化のためのいいのがれはいくらでもできる。そのうち、自分のいいわけを信じるようになってくる。「どうもこういう感じがする」というのは、感情ではなく気分にしかすぎない。ひとは一秒ごとに変化しつづける。

おかしなことに、たいていの人間が理屈なしでは行動できないのだ。ある重要なことにたいしては、理屈が追いつかないということを知らない。「愛する」とか「死ぬ」とかいうことにたいして合理的な説明をもとめるのは、その行為自体をかるくみている証拠だ。

「なぜ指を切ったの?」

ある文学賞のパーティーで、そんなふうにたずねられた。数年まえ、週刊誌にかみつかれてけんめいにとぼけていたあの件である。

「わたしがどのくらいどぎついか、おしえてあげたのよ」

　こたえになっていない。「理屈はあとだ、みんな死ね」といったのと、おなじことだ。自分がいったことばに責任をもった結果、こういうことになってしまったのだけれど。そこにいたる経過は、わたしが第三者であったとしたら、いくらでもおもいつく。なりゆきにすぎない、といってしまえばそれまでだ。理由なんて、あとからうつくしく仕上げるものなのだ。

　いかなる心理のメカニズムか、とだれもがふしぎがったにちがいない。どうもこうもなくてわたしは「やった」のだから。やったかやらないか、だとしたら、事実としてやったわけだ。

　そこからまたあたらしい観念が形成されていく。あたりまえだが、時間は死にむかっておそろしいはやさでおちていくのだ。一瞬一瞬は、回復不能なのだ。とりかえしのつかないことの連続の、そのまっただなかに投げだされているのに、ふだんはだれも気づかない。

　もうひとつは、暴力について、である。自分が肉体的に傷つけられることへの恐怖はすさまじいものだ。体制が組織が、といってもあいまいな恐怖にすぎない。それらへ向かうときの、具体的な肉体の恐怖はそれをのりこえた者にしかわからないだろう。

　なにものかがこわい、ということと、そのこわさを感じる心とはちがう。いまもおもいかえせば、なんとおそろしいことをやってしまったのだろう、とあきれはてる。だが、恐怖心そのものはない。

恐怖の実体は消えうせはしないが、恐怖心をのりこえることは、どんな状況にあっても、ある程度可能なのだ。

「いいわけを知っている人生」を目撃すると、うんざりする。いいわけとはたいていの場合、彼がやってしまったことではなく、彼がやらなかったことにむかう。やってしまったという事実の大きさは、かわりはしない。なしえなかったことの後悔は、妄想の助けをかりて、どこまでも増殖しつづける。それに耐えられなくなると、代償行為をもとめる。すなわち、オムレツについてきびしい意見をいくつも持ってみたり、夜中でもシマウマもようのゴルフハットをかぶっていなければならず、そうしない人間は生きていない、と決めつける。離婚歴ありただいま独身、ファッション関係の職業についていて労働時間は自由、なんぞという魅力ある男性にこの手合いは多い。非常におしゃれで、絹のシャツの袖口からエメラルドのカフス・ボタンをのぞかせたり。もうすこし以前であったなら、ルイ・ヴィトンのバッグをさりげなく持っていたり。

趣味をもつのは自由だが、レトリックに耽溺することは、なにものかをわすれるためにつごうがいい、ということをみのがしてはならない。以前あんなにカッコいいことをいった男が、と目をみはることはない。彼にはもともと情熱も、世界にたいする認識もない。若気のいたりは、情熱とは別のものだ。

なにが敵であるか、を決めるのはむずかしい。自分がなにを感じているか、を検討してもはじまらない。わたしたちは、周囲が期待し強制する、わたしたちがもつべきである「ある種の気分」なり「感情」なりを、自分のものであると錯覚すべく、訓練をうけてきた。それが教育というものだ。他人の不幸には同情し、パーティーではうきうきするように、しつけられてきた。

　感覚でものをいってはいけない、とよくいわれる。好ききらいでものをいっても、もちろんかまわないのだが。自分が放言したことに責任をもつ、のはかなりきびしいからだ。行為には彼が責任を感じていようがいまいが、それにともなう状況の変化がある。「世界同時革命」だかなんだか、カッコいいうたばかり製造していたあるバンドをおもいだす。大学祭に機動隊のみなさまがいらっしゃったとき、彼らはにげだした。彼らの信条から推理すれば「死をおそれず、闘う」はずだったのに。死をおそれず、なんて不可能だ。わたしは死ぬのがこわい。死にたくない。死をおそれず、ではなく「死をおそれつつ闘う」のではないだろうか、と愚考する。暴力はいつだっておそろしい。ある暴力的な行為を「ばかばかしい」とかたづけるのは簡単だ。だが、そういうひとはどんな方法で、この世界にたいする恐怖心をのりこえているのだろうか。

女優的エゴ

女は率直すぎる。口ではなにもいわなくても、女の顔は彼女の生活を露出する。だから、わたしは女優が好きなのだ。

『愛の渇き』の浅丘ルリ子は優秀だったが、彼女があのおそろしい悦子を理解していたとはおもえない。演技とはそういうものだ。理解する必要はない。一般にいわれる知性とはちがうものが、女にとっての頭のよさであるからだ。すくなくとも、この男性中心社会において生きぬくためには。

自分より強いもの、自分を保護し支配するものの意向をすばやく察知する。知性で理解していては、おそすぎる。動物そのものの未熟な原始的な感受性、どんな対象にでも努力すればたやすく感情移入できる柔軟さが、もっとも重要なのだ。日常生活では、こまごましたことを即座に適切に処理できる能力。頭のなかはたとえ複雑であっても、単純そのものの行動。それが女にとっての頭のよさだと思う。できたら、男もそうあってほしいものだ。男はいつもよけいな理屈ばかりこねる。それが、この世界を終末寸前にまで、もってきた。ガタガタいわずにやるしかないのに。

女らしい女には、たいていの場合、理解力がない。それよりもっと他人のなかへ侵入できるものがそなわっている。それを洞察力といってしまっては、男たちの知性（らしきもの）への冒涜かもしれない。つまり、一種のESP《エスプ》なのだ。

想像力においても、おなじことがいえる。わたしは想像力というものが、ひとかけらもない女で、これをもって他の全女性をおしはかるのは、よろしくないのかもしれない。だが、想像力のある女に出会ったことはない。そんなのは気持わるい。女ではなくて怪物としかおもえない。女がふんだんにもっているものは、想像力ではなく、いったん動きはじめたらそれ自体おそろしいはやさで増殖していく、妄想力である。妄想し、同化すること。なにものかのなかに頭から身投げすること。なにものかの痛みを、自分の痛みとして感じとり、さまざまな他人としての人生を自分のなかで生きること。それが、女優にとって不可欠なものである。世間のみなさまは、これを演技力とよぶ。

ヴィヴィアン・リーは今世紀最高の美人女優だが、彼女は芝居がへただ。『風と共に去りぬ』において、きわだった演技をひろうしているわけではない。『欲望という名の電車』や『美女ありき』などは、ひどいものだ。わき役の芝居のこまやかさばかりが、目立つ。そこには、インドで生まれぜいたくに育てられた、イギリスの血がながれるひとりの女、しかいない。デビュー作では、サー・ローレンス・オリビエという男を自分のものにした得意の絶頂の顔しかみられない。だからこそ彼女は、いつだって主演女優なのだ。

女の顔はすべてをうつしだす。ヴィヴィアン・リーの晩年の顔はひどい。生まれついての目鼻だちはととのっているが、ある深刻な不幸にひたされている。男との仲がうまくいかなくなってきたこと、美貌がおとろえてきたことが、彼女の神経をズタズタにした。もはや演技する余地などのこっていないのに、それでも演技派をめざそうとする。そんなむきだしの不幸が、あの美しい顔をおおっていた。いたましすぎて、映画をみるどころじゃないのだ。

女も男も中年にさしかかってからが勝負で、わたしは二十五歳からが中年だと、十五、六のころからずっと思っている。とはいえ、三十にならないと、じゅうぶん成熟したとはいえない。三十二から三十八ぐらいまでが、女の最盛期だ。早熟はよくない。十四歳から男あそびをしたという二十二歳のファッション・モデルを知っているが、彼女はもはやババアの心境である。「なんの後悔も未練もないわ」といいきるところが、このモデル嬢のものすごさだ。

「迫力」とおもわず賞賛する。わたしにはおよびもつかない。

「そうでもないわよ。女なんて、つまんないものね。あたし、やりたいことは全部やりつくしたわ。十八で結婚して、去年離婚した。子どもは全部おろした。もう、なんにもいらない。洋服も靴もオカネも、ありあまってるんだもの。つまんないわねえ！」

その他、二、三の不良少女たちに会見した。もと女番長とか、鑑別所がどうのとかいきまくのだが、ある年齢にさしかかると一様にかなしくなってしまう。彼女自身はかなしくなくても彼女の顔が、ことばにはでないなにものかをかたってしまうのだ。

いつも男にすてられる女がいる。これは彼女の持病みたいなもので、どうしようもない。別に片意地だとか他人に気をゆるさない強さがあるとか、男よりも大事な仕事をもっている、というわけではない。それどころか、その正反対だ。そのときどきの男に全身をあげて夢中になる。「死ねといわれりゃ、死にもしよう」のふぜいで、非常にかわいらしい。だが、くりかえしてすてられてしまうのだ。彼女自身も男たちも気づかない、重大な欠陥があるのだとしかおもえない。

おそろしいことを知ってしまった、ということにあるのかもしれない。人生でおこりうるさまざまなことを体験し、そのうえスカーレット・オハラのようになお欲望ギラギラならかまわない。だが、はやく世間にでた不良少女たちには、それだけのエネルギーがのこっていないみたいだ。それが二十三歳にして老女の顔を獲得してしまうのだ。ある種の諦観とともに。

あきらめているのなら、さっさとくたばりゃいいのに、なんぞと思うのは、わたしがまだ未成熟な証拠らしい。自分からあきらめるのではなく、この世間があきらめさせる、らしいのだ。

女に確固たるエゴをもて、といってても無理なはなし。まだまだ、他人のごきげんうかがいで一生をおわらなければならない運命にあるようだから。大部分の女性の人生は、女のエゴは、他人に強制されてではなく、自らの意志で他人のなかに身投げできること、だと思う。つまり女優的な女こそが、あのすばらしいエゴイズムをもつことができる。

映画にみる男の顔など、つまらないものだ。ハンフリー・ボガートもジェームス・ディーンも若いころの下卑たアラン・ドロンも、ダスティン・ホフマンもすてきだが、彼らの顔は彼らの内部をかたろうとはしない。いかにも地でいってるようにみえて、そのじつ演技をしている。女優の顔ほどの正直さはない。彼らの芝居は、女優の芝居とはまったくちがうものだ。

彼らは自分の仕事としてそれをやっているが、女優は生きることとそのもの、を露出している。女優にとっての演技は虚構ではなく、生きることとそのもの、といってもいい。よく演技的な女といわれるひとがいるが、世の男どもにそんなふうに呼ばれる程度では、演技でもなんでもない。単にすてきなうそがつけるひと、でしかないのだ。

女の演技はうそではない。彼女の生きかたにかかわるものだ。感受性と妄想力のつよい女だけが、演技する力をもつ。生まれついての女優は、正直すぎるほどの自己主張をもっている。

他人に同化する能力、男に追随できるものをもつのが女らしい女なら、女優ほど女くさいものはないからだ。それが、いいわるいは別として。

年とってもなおがんばる、のがわたしは好きだ。で、女優も、バアさんにならないと味がでない、と思っている。若いうちにへたばってしまうのは、エゴがよわいからだ。そういう意味で、女にとってもエゴが必要なのである。

さながら安達ヶ原という感がある、ジョン・クロフォード、ベティー・デイヴィス。『なにがジェーンに起こったか』など、迫力そのもので、女はすべてこうあらねばならないのではないか、と錯覚してしまう。

あるいは、『夏の夜の十時三十分』における、メリナ・メルクーリ。マスカラもアイラインもとけるほどきたならしく泣く、あの凄絶さ。女として、ある核心にせまってくるのではあるまいか、と思わせる。

総じて不幸な女は、美しくはない。美しく不幸な女という観念は、思春期の少年少女や通俗メロドラマのなかにしか、存在しない。不幸は女をきたならしくする。それでもなおのこっているものがあるとすれば、それは外的な美をのりこえたなにものかである。

どんな境地におちいっても、幸福をもとめる姿勢といってもいい。毒と知りつつ不幸のなかに身をしずめ、なおかつ幸福をもとめずにはいられないエゴである。

浅丘ルリ子演ずる悦子は、執拗に幸福をもとめていた。彼女は愛にこだわり、たいていの男にとってはおもしろくもない「愛しているか、愛してないか」の問題にがんじがらめになり、他人からみればそれによって不幸になった。不幸になりつつも、ブルドッグのようにくいついたらはなさないその心意気が、美しさ以上のものを彼女にあたえている。

日常生活の便宜からみれば、「愛している」などということは、たいして重要ではない。その重要ではないことにまっしぐらにつきすすむ悦子のつよさは、現実の女が持ち支えるものではない、と思うのだ。だが、浅丘ルリ子は演技においてそれを獲得した。彼女は悦子を生きた。形而上学的に自分を生きるのではなく、形而上学的に演技を生きるのだ。

生きかたの問題というと、なにか哲学的にかまえなければいけないようだが、そんな複雑怪奇なものではない。男はいつも、女をそのような形でとらえようとする。理解しようとする。だから、失敗するのだ。じつに簡単明瞭なものだ。女とおなじくらい率直になればいいのだから。そんなことは、もちろん不可能だけれど。

女優の顔こそが、すべてをあらわし、告白する。そのくらいの正直さをそなえた女を、女優でない者のうちにさがすのは、むずかしい。単にながされていってしまうだけの危険がまちうけているからだ。抵抗せずにしかもながされないだけの、女優的エゴが、だから必要なのだ。それこそ、本物のしたたかな女といえる。

ふしぎな風景

ある年の夏、毎日のように三浦海岸までかよった。泳ぐためではない。海水浴客とは反対の方向に、さらにバスかタクシーにのって、丘のうえの精神病院へいくのだ。

その夏は、温度がないように思えた。

さまざまなできごとが、悪夢のなかのひとつひとつのエピソードのように、意味も意義もなく配列されていた。わたしはいつもくたびれていたが「疲れた」と口にだしてはいけないのであった。

「こう暑いとやだね、まったく。爆弾で地球をぶっとばしたくなるね」と、タクシーの運転手がいった。冷房がきいているのに、彼はランニング・シャツ一枚で頭にねじりはちまきをしていた。そのうえ、汗をだらだらながしているのだ。彼は最近おこった殺人事件についてのくわしいはなしを、オリジナルな解説つきでながながとしゃべった。「被害者はズタズタなんだから。そんなこと知らないで営業所へかえると、もう刑事がきて待ってるんだからいやになるね、まったく」

なにがいやになるのか、よくわからない。病院のちかくまでくると、患者たちがカカシのように立っていた。彼らは散歩をたのしんでいるはずなのだ。一様に空虚な目で、たまにとおりすぎるクルマをながめている。それなのに運転手は、まだ殺人のはなしをやめない。こういうときは、ひとを殺したくなるものだ、などという。ナイフでめったやたらに刺したら、どんなに気持ちがいいか、などと。

わたしはだまっていた。彼のはなしがおもしろいからではなく、返事をする気力もないからだった。停車して料金をいう段になって、彼はやっとその血なまぐさいはなしをやめた。内心ではもっとつづけたいような顔をしながら。

しかし彼はなぜそんなことをしゃべったのだろう。行き先として精神病院の名を告げた相手に。わたしが赤ん坊を背負っていたから、患者とはおもえなかったから、なのだろうか。たしかにわたしは、カルテにはかきこまれていなかった。入院していたのは、そのころ結婚していた相手である。夫の頭の調子はその一年もまえからすこしおかしかった。だが他人は、夫がわけのわからないことを口走ったり、彼だけにしかみえない不在の大衆にむかってはだかで演説したりするまで、そのことを信じてはくれなかった。

「狂っているのは、この世界なのか自分なのか」とはよくいわれることばだが、そのことを現実に身近に皮膚のうえで体験する人間は、そんなに多くないはずだ。夫はときどきわたしにむかって「おまえは頭がおかしいのだ」といい、そう決めつけていた。妊娠に気づいてから、ずっとそういわれつづけてきた。わたしはあまり外へでなかった。大きな腹をかかえて街をあるくと、なにかじつに陰惨な気分になるのだった。友人と電話ではなすことはあったが、彼らの世界とわたしの内部とはあまりにかけはなれていた。夫がおかしくなるにつれ、わたしの内部も徐々にずれていった。頭がへんなのは自分のほうなのかもしれないとぼんやりおもい、そんなふうにおもうことによって疲労して、昼間かららふとんにもぐりこむことが多かった。すこしねむると、ねむった時間いっぱいに、ながいながい夢をみた。目ざめると、たいていだれもいなかった。腹のなかで赤ん坊がうごき、わたしはトイレで吐いた。一日に何回も吐いた。十一か月めまでつわりがあった。産院の分娩室で吐いたとき、ひどい孤独を感じたのをおぼえている。

ふたりの世界は、卵のカラの内部のようなものだった。実在する肉体は夫と自分とふたりだけでありながら、想像力によるものがドームのようにわたしたちをおおっていた。彼やわたしの頭のなかのものが、赤く暗く外部からの光のように、ツルツルした壁に反映していた。彼は頭のなかでつくりあげた理想の女性とわたしをひきくらべて、いつもわたしを責めていた。その女性には名前がついていたし、かつては彼の身近で息をしてもいたのだが、死んだのは七年もまえのことだ。彼の内部でも詳細な生き生きとした記憶はぼやけて、しだいに強調されていく感情的な印象だけがのさばっているようだった。それはその女性個人への信仰ではなく、彼の十代へのつきることのない哀惜の念が、もう生きてはいないひとりの人間へと集積していった結果らしかった。

わたしはしょっちゅう、責めさいなまれていた。あまりに何度もくりかえされたので、墓場から起きあがってくるゾンビーのように、ものいわぬ黒い影がむくむくとうごきはじめるのだった。その影はとほうもなく大きくなって、目ざめているときもねむっているときも、わたしの罪を告発するのだった。そこに生きているだけで罪悪なのだ、と。思春期にセシュエーの『分裂病の少女の手記』をよみ、非常に影響をうけたことがある。少女の狂気の世界が肌でわかるような感覚を、わたしはもっていたのだ。その後ウニカ・チュルンの『ジャスミンおとこ』をよんだが、ページをめくらないうちから先が見通せるのでおもしろくなかったくらいだ。アナグラム的思考はなんと不毛なつまらない作業だろう！　いくつかの数字やことばが、その意味をはぎとられて、頭のなかで踊りつづける。その数字たちは、いつもおなじ歌をうたいつづけるのだった。「おまえは罪があるのだ。罪があるのだ。……あるのだ」

夫が入院したことは、わたしをほんのすこしすくってくれた。彼は自分を責めるかわりに、それをことばにだしてわたしを責めていたのだ。自分自身は逃亡して。それがはっきりとわかってからも、何度もムチをふるわれたあとは、わたしの内部にきたならしいシミとなってのこってはいたのだが。

三浦海岸の駅まえには、電話ボックスが三つならんでいた。長距離用に百円玉もいれることができる大型の黄色い電話だった。あるとき、そのボックスのとびらをあけ、そこに非日常の裂けめをみた。電話にはダイヤルも文字盤もなかったのだ。

わたしは声にならない叫びをあげた。

それは自分の夢にいつもでてくるもののひとつだった。わたしはなんとかしてだれかに電話をかけようとする。だが、ダイヤルのまるい穴とその外側は空白で、数字がかいてないのだ。わたしは電話することができない。何年ものあいだ欠けていた、夫と自分とのコミュニケーションを象徴するような単純な夢なのだが、暗い部屋で目をあけてからもわたしを苦しめるたぐいの、いやな味をのこした。その夢が、突然白い昼間にあらわれたのだ。わたしは赤ん坊を抱いて、ボックスの内部の壁によりかかり、ついにすわりこんでしまった。

電話は故障していただけにすぎない。

だが、そのことは非常につよい衝撃となって、わたしを打った。この世界は、夢だからといって安心していられるような生やさしいものではなかったのだ。

その光景は、いちどしか目にすることができなかった。故障はただちに修理されたらしく、おびえながらとびらをあけても、ダイヤルと数字がちゃんとついた、あたりまえの電話がみえるだけだった。いまでも電話ボックスをあけるたびに、わたしはおもう。あれは現実にあったことだろうか、自分の悪夢が頭のなかからしみだしていった、そのしるしではなかったのか、と。

あまりにはやばやとなおされて、二度とみることができなかったために、よけいに自分をうたがうのだ。こんなことが一日に一回以上あったら、わたしたちは駅で切符を買うことも電車にのることもできなくなってしまうだろう。

それ以降、電話ボックスはなにかふしぎな象徴のようなものになった。ふだん目にするもののなかで、あのぐらいふしぎなものはない、とわたしはおもうのだ。いったい、なんのためにあのほそながい四角い箱は街の角にたっているのだろうか。ひとびとの意志の疎通のためである、ということがそれ自体、非常に空虚におもえるのだ。

夫はその年の暮れに、またべつの病院にはいった。長年やっていた薬物をじょじょにやめていくと、彼の奇怪な行動やことばは、しだいに正常になっていった。「きみをいじめることによって、ぼくはきみを大事にしていたのだ。ぼくのなかできみはそのくらい重要な位置をしめていたのだ」

それは身勝手ないいわけだが、真実にはちがいない。

いっしょに散歩するのが、その後のふたりの習性となった。わたしはいろいろな家をみてはああだこうだと評論した。近代的なまっさらな住宅をみると、この家の主人はこの自分たちの家を購入するために、二十年ローンに苦しめられているのではないか、とおもったりする。玄関にちゃちな（みるひとによってはりっぱな）細工がしてあったりすると、よけいにその感をつよくするのだ。ノッカーが金属製のライオンの顔であったり、門灯が芝居にでてくるようなヨーロッパ中世ふうのものであったり、とにかくしゃれて小粋であればあるほど、小細工という感じがする。本物の重厚さはこんなものじゃないのだ、とおもう。それはローンで買えるようなものではない。

わたしが住みたがる家は、たいてい軒がかしいでいて、かわらはくずれかけ、庭には雑草がおいしげっている。ときには、古い家の窓が本物の船からとってきた丸窓だったりして、わたしをよろこばせる。

「このうちのひと、きっとずうっと船乗りだったんだよ。いまは引退してるの」などと解説する。うれしそうに一軒ずつなにかいう。夫はわらって「住宅評論家の鈴木いづみさん」とつけくわえる。

金持ちになったら、どういう家に住みたいか、なんぞとかんがえてそれを口にだす。むかし建てた病院を改造したような建物もいい。窓は細ながく白いペンキがぬってあって、それがちょっとはげていたりする。天井の高い、夏でもひんやりとしているような部屋がいい。殺風景でなにも飾りのない部屋がいい。

他人のアパートへいって、そこにぬいぐるみの人形がたくさんあったりすると気分がわるくなる、という妙な感覚がある。それを口にだすと、数百人の女の子の部屋を訪問した経験をもつ彼はもっとひどいことをいう。

「あれは、使って血がついたままのタンポンを、それも一カ月もまえのをならべてあるみたいでいやだな。その女の子とやるつもりだったのが、なえてくるときもあるよ」

そういえば、わたしの弟たちのうちで下のほうは、いつも女の子にたくさんのプレゼントをもらうが、たいてい動物のぬいぐるみだ。十代かあるいは二十代をちょっとすぎたくらいの子は、自分がすきなものは男もすきだろうとおもうらしいのだが、彼はそれを部屋のすみにつみあげてほこりだらけにしている。あるていどたまると、なんと風呂の炊きつけにしてしまう、というのだから！

弟のほうが女の子になにか買ってやるときは、コンパクトとかハンドバッグで、けっこう相手のことをかんがえているらしい。だが動物のぬいぐるみばかりくれるような無神経な相手とは、あまりながくつづかないみたいだ。

陽のまぶしい午後に散歩していたとき、アスファルトの道路がキラキラひかっていた。「どうしてかしら。ガラスのこまかい粉をいれてあるのかな」そのラメ入りの道をあるきながら、わたしはいった。

すると、ふしぎな風景が現出した。

おそらく高校かなにかの付属物だろうが、金属のネットをはりめぐらせたテニス・コートがみえた。しかも、なぜか用もないのに（としかおもえない奇妙な位置に）電話ボックスがあったのだ。そのボックスは、ケンタッキーのフライド・チキンやマクドナルドのハンバーガーの店のちかくにあったとしたら、ごく自然にみえただろう。だれもいないテニス・コートのちかく、それも通行のじゃまになるように道のまんなかにたっていると、じつに妙な気がする。まるで地面のなかからはえてきたようにみえた。あまりに非現実的なので、しばらくながめていたくらいだ。

あるいは夕暮れちかくの空が、えのぐで描いたようなすみれ色であったりすると、立ちどまってしまう。その空のせいで、ビルやビルにくっついた非常階段が、芝居の書き割りのように平面的にみえるからだ。

どこか非現実な感じのする風景が、自分の回帰する場所だという気がする。

ギラギラと無慈悲にひかる巨大なドーム型の空のまんなかに、動かない太陽がはりついている。それはチーズのようでもあるし、目玉のようでもある。その太陽にみつめられてひとびとはアリとなって意味もなく地面をはいずりまわる。とおくから破局をつげるサイレンがきこえる。

小学生のとき、空を半球型にえがいていた。ほかの子供は地面と空とを平行にかいていたのに。教師がへんな顔をしたのを、おぼえている。それからはみんなのまねをして、空を一本の直線であらわすようにした。

空が半球型である、という思考形態は原始人のものだ、とだれかがいった。

そうかもしれない。視界をじゃまする建物なしで、彼らはどこまでもつづくこの風景をながめていたのだから。

「原風景」というものを、女友達にたずねたことがある。それはいつまでもつづくながい夕暮れだ、と彼女はこたえた。そろそろあそぶのをやめて家にかえらなければいけないのだが、もっとあそんでいたい。何人かの子供たちはもうかえってしまっている。空はくもっていて重たい色をして、その暗さはしだいに増していく気配なのだが、夜はなかなかこない。

彼女のいうことは理解できるのだが、もうひとつぴったりこない。彼女のなかのそういう風景は「子供のころの記憶」で「内なる風景」とはちがうような気がするからだ。

郷愁という感情がそれには、はりついている。だが、わたしの内なる風景は、あらゆる感情をはぎとられている。よそよそしい、人間を拒否するような非現実感をもった風景に、へんな親しみを感じるのだ。

それはなぜだろうか、とかんがえてもよくわからない。ある男は「まっさおな空を、カミソリでスパッと切ったら、しばらくしてそこから血がにじんでくるんじゃないか。そうなったらきれいだろうな」といったが、それともちょっとちがう。彼はけんかをしたとき、相手のながした血がきれいだった、ともいった。その人物は、自分が血をながすのはいやなのだが、だれかが血をだすのをみるのがすきみたいなのだ。

わたしはそういうことはがまんできない。他人が血をながす、というのはなんだか非常におそろしい。そのこと自体がおそろしいのではなく、他人が血をながしていても自分は無感動だろうと想像することがおそろしいのだ。他人を肉体的に傷つけることがこわいのは、自分以外の人間を殺傷してもおそらく平然としているであろう自分がこわいからだ。

もっとも、自分がけがをしてもわりと平気でいるようなところもある。

あの年、三浦海岸の駅へ何度もかよったが、あるときわたしはふくらはぎに穴をあけて、そこから血をかかとまでながしながら、階段をおりていった。うしろからきた義妹がびっくりして痛くないかどうか、たずねた。痛いにきまっている、とわたしはわらいながらこたえた。このまま血がとまらなかったら、からだじゅうの血液が流出して死んでしまうだろうな、となんの感動もなくかんがえた。そこになんらかの感情がない、ということに寒気をおぼえる。

当然のことながら、放置していたその穴はひろがり、夏のことでもありくさってきた。血液は空気にふれて、凝固してきた。そのせいで死なずにすんだが、みにくい大きな傷あとが脚にのこった。自分がいつ死んでもかまわないような気持ちだった。それよりも、入院させられている夫がかわいそうだ、というおもいのほうがつよかった。同情とかあわれみというものとはちがう。自分だって、ある日突然精神病院にはいっていることに気がついたら、こわくなるだろうと想像したからだ。

自分が死ぬことは、すごくこわい、と他人に告げる。それは、自分の死に無感動ではないだろうか、とかんがえるのがおそろしいからだ。わたしは「死」にめぐりあった経験がすくない。

小学生のとき、祖父が死んだ。ある朝おきてみたら老衰死していたのだ。そのとき、なにも感じなかった。鶏小屋があって、父親がニワトリの首を切ったこともおぼえている。頭のなくなったニワトリは、そこから血を噴出させながら二、三歩あるいてたおれた。わたしはそれをみてわらった。切りおとされたニワトリの脚をひろって、なかのすじをひっぱってあそんだ。そうすると脚の指がのびたりちぢんだりするのがおかしいからだ。

ある女性は肉屋のまえをとおるのがこわい、といった。子供のころニワトリが殺されるのをみたことがあるからだ、と。羽をむしられてさかさにつるされた鶏をみたら、きっと気絶するだろう、ともいった。「だから、あたし、いまでも鶏肉ってたべられないのよ。あんただってそういう場面を子供のころみたら、あたしみたいになるから」

みたことあるよ、とわたしはこたえた。でも、ちっともこわくないし、いまでもこわくない。あんなの、どうってことないじゃない。わたしは鶏肉がいちばんすきだわ。もっとも、つわりのときはたべられなかったけど。

その女性は、わたしを人間でないものをみるような目でながめた。それをみて、こういうことは口にだすべきではないのだな、とさとった。

子供のときに指をけがしたはなしを、そのひとにしなくてよかった。いまになってみると痛みなど、まるでおぼえていない。キャラメルをつつんであったセロハンをコップのようにしてそのなかに自分の指からながれだす血をためた。べつのときは陶器の白い皿に自分の手からながれる血をためていたことがある。それは、しいていえば、解剖学的興味からであった。

長年つきあっているボーイ・フレンドに「ひと殺しがしたい」というはなしをした。「殺す当人に苦痛をあたえないように、すばやくナタかなんかで、頭からスパンとふたつに割るわけよ。それで、内部をしらべるの。腸なんか、表面がつやつやひかってぐにゃっとしてるでしょ。あの感触を手であじわいたいわけ」

「自分が権力をもっていて、だれでも自由に死刑にできるってのはどう?」と彼はたずねた。

「そんなの、いやよ。合法的にひとを殺すって、いやだわ。だから戦争っていやなの。やっぱり殺人は非合法的で悪いことでなくちゃ」

ふうん、と彼はうなずく。わたしは調子にのってつづけた。「そいで、殺すんなら、男より女のほうがいい。だって、男ってからだがかたいでしょ。すぐ骨にぶつかって、おもしろみがない」

「どっちでもおなじことだろう」

「あら、ちょっとちがうとおもうんだ。だって女の胸なんかやわらかいからさ。おもしろいんじゃないかとおもって」

まったく無責任だ。こんなことをしゃべってもいいのだろうか。彼はしばしかんがえて「いづみはサディストではない。非常に子供っぽいのだ」と結論した。

「でも、やっぱりこわいのはね、自分が気がつかないうちに法を犯すんじゃないかってことね。そのさいちゅうに意識しているんだったら、いいんだけど、無意識のうちになにかとんでもないことをやらかして、ある日気がついたら監獄のなかにいるんだわ」

「それで裁判がはじまったら、カフカだな」

「裁かれるってのもおそろしいけど、そうではなくて、夢遊病みたいな状態で他人を殺したり傷つけたりするのは、すごくおそろしいのよね。意識していても、そのときそれについてなんの感情もなかったりするのも、こわいの。トンボの羽や脚をむしるみたいに、他人を傷つけるのが」

カフカ的状況というのはたしかに恐怖をよびおこすが、それ以前に自分が人間的といわれる感情をもっていない、そのときの状態のほうがよりおそろしい。カフカというひとは、内心ではなまけもので、ほんとうは芋虫になって毎日寝ていたい、とおもったんじゃなかろうか、ともかんがえたりする。べつにある朝虫になっていてもすこしもかまわないのだが、それにつれて感情も芋虫的になってしまうとしたら、これはどうしても避けたい事態である。

わたしがこんなふうにいろいろのことをこわがるのは、感情のエア・ポケットのようなあの状態がながくつづくのではないか、と想像してしまうからだ。

「それは、あなたが日常では非常に人間的な感情を人一倍つよくもっているからだろう。感情のないときっていうのは、きっと小休止の状態なんだろうな」

男友達はかんがえながら、ことばをついだ。

それでは、わたしの原風景というものは、自分が感情をはたらかせているのを休んでいる、そういうときにみえる光景をいうのだろうか。そのせいで、奇妙な親しみやなつかしさのようなものを感じるのだろうか。

「だってさ、いつもいつも、なにかを感じていたら、人間、くたびれちゃうよ。生きている人間でいるってことは、やっぱり疲れることなんだよなあ。三十年ちかくも息をしていると」

彼は、このごろ非常にさびしいのだ、といった。わたしはそこで、うーむとうなってしまう。

「二十歳ぐらいのときは、外部への興味っていうのがつよかっただろ？　なにかメチャクチャやって、なにをやってもおもしろかった。そのころ女といっしょに暮らしていても、外部世界にひかれていたから、同棲するってこと自体、あんまりイミはなかったんだ。いまこうやってひとり暮らししてると、すごくさびしいんだね。それで、いいわけをするってのもいやなんだ。されどわれらが日々——というう感じはいやなんだよね。かといって、むかしをふりかえるって、ひょっとまえをみるとそこにふりかえっている自分がみえるだろう。それもいやなんだ」

やっとのことでたどりついた感情が、単純にさびしいというものではやりきれないだろうなともおもう。

「いづみもそのうち、さびしくなるから」

「わたしはむかしっから、さびしい子だよ」

「そういうのではないのだ」と彼はメイソウ的にいった。

さびしいというのも、たまらないだろう。わたしはだれかといっしょにいてさびしい、と感じるのがいちばん耐えられない。だが、それにも疲労してしまって、もうなにも感じなくなるときがくるのではないだろうか。それこそ、自分に裏切られるときなのだ。自己というものを見失うときなのだ。

わたしはいま、あらゆることに無感動になってしまった少女のはなしをかいている。その女は自分のために三人もの人間が犠牲になって、そのせいでなおさら感情を喪失する。彼女はひとりの男をすきになって（道具として利用して）自分を相手と同一視することによって、自己回復をこころみる。だが頭がわるくて相手のことがわからないがために、男にたいして幻想をいだく。その気ちがいじみた、相手を「神」とするような幻想のなかに相手と自分の関係性をも喪失して、やがては自滅してしまう。

そのストーリーをボーイ・フレンドにしゃべると、彼はこういった。

「あなたはそんなふうにはならないだろう。だって、あなたのは理解するって作業じゃなくて直感みたいなものだから」

むかし、夫もおなじようなことをいっていた。さらにつけくわえて、こうもいったのだ。

「きみは幻想をもつ能力がない」

わたしにいわせれば、幻想とはある特定の人物やことがらにたいして抱く、訂正することのできない大きな錯誤であり誤解である。幻想をもつことのできる人間、それを信じきることのできる人間は、だから幸福なのだ。

わたしは、幻想をもつことすらできない。では、疲れきってしまったときは、どうしたらいいのだろう。

70年代に現代を先取り

高橋源一郎

「鈴木いづみコレクション」（文遊社）の刊行が始まったのはおよそ十年前のことだ。作者の鈴木いづみは、珍しい「幻の作家」あるいは「一九七〇年代を代表する伝説の作家」として知られている。だが、名前は知られていても、その作品を見つけることは難しかったので、古くからのファンとしては、「コレクション」の刊行はたいへん嬉しかったことを覚えている。

そして、去年、「セカンド・コレクション」（同）の刊行もはじまったのだが、その刊行に合わせて企画された「SF作家鈴木いづみを発見する」というイベントに参加するため、以前の「コレクション」も含めて、鈴木いづみの作品を読み返し大きなショックを受けたのだ。ほんとに「SF作家鈴木いづみ」を「発見」してしまったのである。

妙な話だ。だって、もともと「コレクション」は鈴木いづみを「発見」するためのものだったからだ。そして、「なるほど鈴木いづみは全身で七〇年代を体現した作家だったのだ！」と納得したはずだった。ところが、今回、一から読み直してみると、どう考えても、鈴木いづみは、ただ「七〇年代を体現」したのではなく、「SF作家として七〇年代を体現」した作家なのだった。いや「早すぎたSF作家」とか「全身SF作家」と呼ばれるべき存在であることに、遅ればせながら気づいたのである。

たとえば、鈴木いづみの小説には（SFであれ、非SFであれ）、七〇年代的な固有名詞、曲名、商品名、ファッションが頻出する。だが、それらを読むと、不思議なことに、少しも懐古的なノスタルジーを感じさせない。まるで、近未来SFに出てくる奇妙な小道具のように見えてくるのである。

セカンド・コレクションに収められた短篇「ぜったい退屈」は、近未来を描いたSFだが、その世界の住人たちは、恋愛とか性交のような「疲れる」ことはしないし、食事をとるような面倒くさいこともあまりしない。日常生活がまるでテレビのワンシーンのように見えるので、無感動になっているし、本も読まないので言葉もしらない。要するに、なにもしない。だから（恋愛したりタバコを吸ったり仕事をしたりする親の世代を見ると、感心する（というかバカみたいだと思う）のである。って、これは、いま我々が住んでいる世界そのものではありませんか！

彼女の小説は、我々がSF的世界の住人になっていることを、ずっと前から告げ知らせていたのである。

書誌

一九七三年（24歳）**『あたしは天使じゃない』**（ブロンズ社）
『愛するあなた』（現代評論社）

一九七五年（26歳）**『残酷メルヘン』**（青娥書房　帯文／五木寛之）

一九七八年（29歳）**『女と女の世の中』**（ハヤカワ文庫）　解説／眉村卓
『いつだってティータイム』（白夜書房）

一九八〇年（31歳）**『感触《タッチ》』**（廣済堂出版）

一九八二年（33歳）**『恋のサイケデリック！』**（ハヤカワ文庫）　解説／亀和田武

一九八三年（34歳）**『ハートに火をつけて！　だれが消す』**（三一書房）

一九八六年（36歳）**『私小説』**（写真／荒木経惟・白夜書房）

一九九三年　**『声のない日々』**鈴木いづみ短編集（文遊社）

一九九六年　鈴木いづみコレクション第1巻　長編小説**『ハートに火をつけて！　だれが消す』**（文遊社）　解説／戸川純
鈴木いづみコレクション第3巻　SF集I**『恋のサイケデリック！』**（文遊社）　解説／大森望
鈴木いづみコレクション第5巻　エッセイ集I**『いつだってティータイム』**（文遊社）　解説／松浦理英子

一九九七年

鈴木いづみコレクション第4巻　SF集Ⅱ『**女と女の世の中**』（文遊社）　解説／小谷真理

鈴木いづみコレクション第2巻　短編小説集『**あたしは天使じゃない**』（文遊社）　解説／伊佐山ひろ子

鈴木いづみコレクション第7巻　エッセイ集Ⅱ『**いづみの映画私史**』（文遊社）　解説／本城美音子

鈴木いづみコレクション第6巻　エッセイ集Ⅲ『**愛するあなた**』（文遊社）　解説／青山由来

一九九八年

鈴木いづみコレクション第8巻　対談集『**男のヒットパレード**』（文遊社）　解説／吉澤芳高

一九九九年

『**いづみの残酷メルヘン**』（文遊社）［75年／青娥書房版］

『**タッチ**』（文遊社）［80年／廣済堂出版版『感触』改題］

二〇〇一年

『**いづみ語録**』（文遊社）　鼎談＝荒木経惟×末井昭×鈴木あづさ／対談＝町田康×鈴木あづさ

二〇〇二年

『**IZUMI, this bad girl.**』（写真／荒木経惟・文遊社）

二〇〇四年

鈴木いづみセカンド・コレクション第2巻　SF集『**ぜったい退屈**』（文遊社）　解説／岡崎京子

鈴木いづみセカンド・コレクション第1巻　短編小説集『**ペリカンホテル**』（文遊社）　解説／高橋源一郎

鈴木いづみセカンド・コレクション第3巻　エッセイ集Ⅰ『**恋愛嘘ごっこ**』（文遊社）　解説／町田康

鈴木いづみセカンド・コレクション第4巻　エッセイ集Ⅱ『**ギンギン**』（文遊社）　解説／田中小実昌

年譜

一九四九年

七月十日、鈴木いづみ（本名・鈴木いずみ）、静岡県伊東市湯川に生まれる。父・英次は読売新聞記者。戦争中はビルマで特派員として爆撃機に同乗して戦地を取材していた。著書に『あゝサムライの翼』（光人社）がある。

一九五八年

八歳／小学校三年、五〇枚の童話を書く。

一九六五年

十五歳／県立伊東高校入学。文芸部に所属。一年のとき、詩集「海」に「森は暗い」「暁」「少年のいたところ」「しのび寄る時間」、「海」26号に小説「分裂」を発表。

一九六八年

十九歳／県立伊東高校を卒業後、伊東市役所に勤務。地元の同人誌「伊豆文学」の同人となり、小説を発表。

一九六九年

二十歳／「夜の終わりに」（伊豆文学、江間想名義／1月10日号）。市役所を退職して上京。モデル、ホステスをしながら、ピンク映画界に入る（火石プロに約四カ月所属）。「ボニーのブルース」が第十二回「小説現代新人賞」候補作品八篇の中の一篇に選ばれる（応募総数七五六篇）。「週刊朝日」公募の『八月一五日の日記』に「だめになっちゃう」入選（9月12日号）。このときの選考に川本三郎が加わっている。

一九七〇年

二十一歳／浅香なおみ名義で「処女の戯れ」（ミリオン・フィルム・デビュー作）、「めざめ」（ミリオン）、「売春暴行白書・性暴力を斬る」（ミリオン）、「女性の性徴期」（ミリオン）、「絶妙の女」（関東ムービー）、「情炎・女護ヶ島」（関東ムービー）、「理由なき暴行・現代性犯罪絶叫篇」（若松プロ）などのピンク映画、本名で「銭ゲバ」（東宝・近代放映、監督＝和田嘉訓、主演＝緑魔子・唐十郎）に出演。また、東京12チャンネルの「ドキュメント青春」（ディレクター＝田原総一朗）にも主役として出演する。「声のない日々」が第30回文学界新人賞候補になり、以後、作家業に転じる。天井桟敷の「人力飛行機ソロモン」に出演。ピンク女優・浅香なおみ時代、「11ＰＭ」などにカバーガールもどきの裸を提供したり、イレブン学賞（審査員＝矢崎泰久、宇野亜喜良、眉村卓）を受賞したりしていた。

一九七二年　二十二歳／一月三日〜十三日、天井桟敷にて「鈴木いづみ前衛劇週間」が催される。上演されたのは鈴木いづみの戯曲、『ある種の予感』(現代詩手帖)、『マリィは待っている』(未発表)、演出は竹永茂生、主催は天井桟敷。当時のチラシには〈話題の鈴木いづみが演劇空間に挑む。天井桟敷アトリエ公演〉とある。「書を捨てよ街へ出よう」(ATG・人力飛行機プロ、監督寺山修司)に出演。ナンシー国際演劇祭(「邪宗門」「人力飛行機ソロモン」上演)に参加する天井桟敷に同行、パリ、アムステルダムなどに滞在する。中原まゆみのシングル「テイク・テン／もう何もかも」(ビクター)を作詞。作曲は天井桟敷の田中未知。荒木経惟撮影の写真集が出版社の自主規制により発売中止に。

一九七三年　二十四歳／ジャズマン(アルトサックス・プレイヤー)阿部薫と出会い、婚約。「太陽」で演劇評を連載開始。

一九七四年　二十五歳／同居中の阿部薫と口論になり、二月九日早朝、左足小指を切断され、ハプニングとして報じられる。

一九七五年　二十六歳／初のSF小説「魔女見習い」(SFマガジン／11月号)。以降十年間で二十五篇のSF小説を発表する。

一九七六年　二十七歳／四月長女あづさ出産。阿部薫が精神病院に入院。

一九七七年　二十八歳／阿部薫と離婚。「SF・男と女」(奇想天外／3月号)で眉村卓と対談。

一九七八年　二十九歳／九月九日阿部薫がブロバリンの過剰摂取により死去。「いづみの映画私史」(ウィークエンド・スーパー)連載開始。

一九八〇年　三十一歳／「鈴木いづみの無差別インタヴュー」(ウィークエンド・スーパー)連載開始。ビートたけし、坂本龍一、大瀧詠一、近田春夫、所ジョージ、岸田秀、亀和田武、エディ藩、ジャガーズなどにインタヴュー。

一九八六年　三十六歳／二月十七日、自宅の2段ベッドにパンティストッキングを使って首つり自殺、享年36歳7カ月。

初出誌一覧

◎**女と女の世の中**……「ＳＦマガジン」一九七七年七月号、早川書房
◎**契約**……「ＳＦマガジン」一九七八年十月号、早川書房
◎**夜のピクニック**……「奇想天外」一九八一年八月号、奇想天外社
◎**ユー・メイ・ドリーム**……「奇想天外」一九八一年四月号、奇想天外社
◎**ペパーミント・ラブ・ストーリィ**……「ＳＦマガジン」一九八一年二月号、早川書房
◎**あまいお話**……「ＳＦマガジン」一九七六年六月号、早川書房
◎**ぜったい退屈**……「ＳＦアドベンチャー」一九八四年八月号、徳間書店
◎**いつだってティータイム**……『いつだってティータイム』一九七八年、白夜書房
◎**乾いたヴァイオレンスの街**……「現代の眼」一九七四年八月号、現代評論社
◎**女優的エゴ**……「映画評論」一九七四年九月号、映画評論社
◎**ふしぎな風景**……『いつだってティータイム』一九七八年、白夜書房

鈴木いづみプレミアム・コレクション
二〇〇六年三月二十四日　初版第一刷発行●著者＝鈴木いづみ●発行者＝山田健一●発行所＝株式会社文遊社●東京都文京区本郷三－二八－九　〒一一三－〇〇三三●TEL＝〇三－三八一五－七七四〇●FAX＝〇三－三八一五－八七一六●郵便振替＝〇〇一七〇－六－一七三〇二〇●印刷・製本＝株式会社シナノ●編集＝山田高行
●乱丁本、落丁本は、お取り替えいたします。定価は、カバーに表示してあります。
　ISBN4-89257-048-6

鈴木いづみコレクション 全8巻

全巻カバー写真／荒木経惟

速度が問題なのだ。人生の絶対量は、はじめから決まっているという気がする。細く長くか太く短くか、いずれにしても使いきってしまえば死ぬよりほかにない。どのくらいのはやさで生きるか？……『いつだってティータイム』より

衝撃の自殺から10年、希望を抜き去り、あっというまに絶望までも明るく抜き去った、'70年代最速のサイケデリック・ヴィーナス、鈴木いづみが還ってきた。ニセモノを見極め、かつ楽しむことができた醒めた目は、とれかかったつけまつげの奥で何を見つめていたのか。'70年代から現代を照射する、いづみファン待望の著作集。

第1巻　長編小説

ハートに火をつけて！ だれが消す

静謐な絶望のうちに激しく愛を求める魂を描いた自伝的長編小説。いづみ疾走の軌跡

解説／戸川純

本体価格一七四八円

第2巻　短編小説集

あたしは天使じゃない

狂気漂う長い夜を彷徨する少年少女たちを描く短編小説集。初の単行本化作品5点収録

解説／伊佐山ひろ子

本体価格二〇〇〇円

第3巻　SF集I

恋のサイケデリック！

明るい絶望感を抱いて、異次元の時空をさまよう少年少女たちを描いたSF短編集

解説／大森望

本体価格一九四二円

第4巻　SF集Ⅱ
女と女の世の中

時間も空間も何もないアナーキーな眼が描くSF短編集。初の単行本化作品5点収録
解説／小谷真理

本体価格一八四五円

第5巻　エッセイ集Ⅰ
いつだってティータイム

「ほんとうの愛なんて歌の中だけよ」リアルな世界を明るくポップに綴るエッセイ集
解説／松浦理英子

本体価格一七四八円

第6巻　エッセイ集Ⅱ
愛するあなた

男・女・音楽・酒・ドラッグ。酔ったふりして斬り捨て御免の痛快エッセイ集。初の単行本化（三篇を除く）
解説／青山由来

本体価格一九〇〇円

第7巻　エッセイ集Ⅲ
いづみの映画私史

宿命のライバルであり、宗教でもあった阿部薫の死、その不在による絶望ゆえに輝きを増した傑作映画エッセイ集　解説／本城美音子

本体価格一九〇〇円

第8巻　対談集
男のヒットパレード

付〈書簡・資料・年譜〉

十五歳の時の作品（詩四篇、小説）、ピンク女優・浅香なおみ時代の写真、自殺直前までの書簡など初公開資料収録　解説／吉澤芳高

本体価格二三〇〇円

【鈴木いづみ】（一九四九―一九八六）／モデル、俳優、作家、天才アルトサックス奏者・阿部薫の妻。

全巻セット本体価格一五三八三円

鈴木いづみセカンド・コレクション 全4巻

再評価といづみブームを巻き起こした「鈴木いづみコレクション 全8巻」の刊行から七年、ファンの要望に応え、初の単行本化となる作品を中心に全4巻に集成。

全巻カバー写真／石黒健治

第1巻 短編小説集

ペリカンホテル

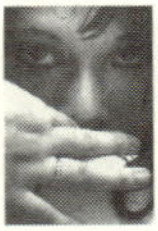

絶望の彼方に遊ぶ、恋人たちの風景。初の単行本化となる初期作品を中心とした短編小説集。

解説／高橋源一郎

本体価格一八〇〇円

第2巻 SF集

ぜったい退屈

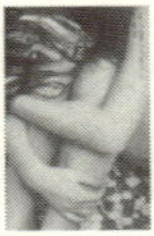

ケミカルな陶酔の中に浮かぶ透明で残酷な世界。サイバーパンクを突き抜けたSF短編集。

解説／岡崎京子

本体価格一八〇〇円

第3巻 エッセイ集Ⅰ

恋愛嘘ごっこ

「悪夢と憧憬にみちていた」十代の回想、天井桟敷とのフランス滞在記など、初期エッセイを多数収録。

解説／町田康

本体価格一八〇〇円

第4巻 エッセイ集Ⅱ

ギンギン

〈対談・写真他収録〉

阿部薫の死の絶望から、「明るい絶望」へ。SF論、GS論など、後期の秀逸なエッセイ、対談、写真他収録。

解説／田中小実昌

本体価格一九〇〇円

タッチ

鈴木いづみ

恋愛ゲームも終わり、「失恋しても、空はきれいね」と透き通った明るい絶望感に辿り着いた若者たち、いつまで遊んでいられるか。

本体価格一九〇〇円

いづみの残酷メルヘン

鈴木いづみ

心と身体を傷つけ合いながらさまよい続ける少年、少女。やがて愛の幻想に訣別し、残酷な現実に立ち向かう。「東京巡礼歌」収録

本体価格二〇〇〇円

いづみ語録　鈴木いづみ

鼎談／荒木経惟・末井昭・鈴木あづさ　対談／町田康・鈴木あづさ

『鈴木いづみコレクション全8巻』を中心に、全作品の中から、読者の胸を突き刺すことばを娘・鈴木あづさが編集。

本体価格一八〇〇円

IZUMI, this bad girl.

荒木経惟＋鈴木いづみ　写真集

あの時の彼女にはオーラというか
狂気みたいなものを感じたね…………荒木経惟

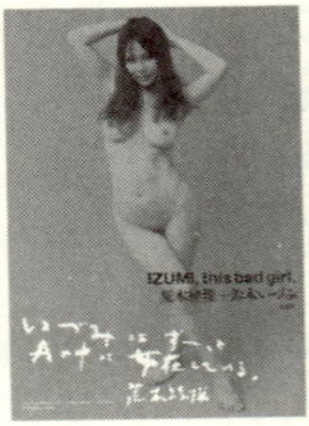

B4判／上製本／英文併載の国際版／写真頁120頁＋エッセイ8頁（計128頁）
収録写真／カラー写真24点、モノクロ（スミ＋グレーのダブルトーン）106点　計130点（未発表写真90点余）

本体価格五八〇〇円

1970年に出会い、意気投合した荒木経惟と鈴木いづみは、すぐに写真集を企画し、荒木経惟は、1973年までの4年間、鈴木いづみを撮り続けた。当時の鈴木いづみは、1970年に短編小説「声のない日々」が文学界新人賞候補になり、精力的に小説やエッセイを発表。また、荒木経惟も、『センチメンタルな旅』（1971）などの傑作を次々と制作していた。ふたりの充実した時期に撮影された数百点に及ぶ庞大な写真の中から130点をセレクトし集大成した。